Design as Inventor

diid
disegno industriale | industrial design
Journal published every four months

Fondata da | Founded by
Tonino Paris
Registration at Tribunale di Roma 86/2002 in the 6th of March 2002

N°65/18

Design as Inventor

ISSN
1594-8528

ISBN
9788832080155

Anno | Year
XVI

Index

Editorial

Editorial

Alessandro Mendini

Tonino Paris

Emeritus Professor, Normal University Shanghai
Emeritus Professor, Sapienza Università di Roma
> tonino.paris@uniroma1.it

Alessandro Mendini. The story of the richness of his artistic experience and his influence in the culture of design is difficult to exhaust in a necessarily contained editorial.
Besides, suffice is to think of the fact that his artistic life was not born with the only design nor the only architecture but it is expressed in graphics, painting, writing, art in the art of performance, escaping from specialism and open to everything with which he could hybridize.
A versatility that has marked every aspect of his creativity: from the magazines that he directed (*Modo*, then *Casabella* andlastly *Domus*), to the exhibitions he organized (the memorable "Stanza Banale" in 1980), to the architecture (like the Museum of the city of Groningen in the Netherlands, which also gave him a reputation as a builder), to the innumerable "objects" of design, some of which – like the Anna G. corkscrew for Alessi or the armchair Proust – have become icons of a timeless design. Experiences that have been supported by a vision of the world and by a theoretical identity basis. So, I preferred that my editorial was substituted for a poster-writing.
In the script he expresses in the contents and in the method what can be understood as a real Manifesto of the theoretical system on which his work was based. The script is of 1979, and yet it remains a reference of Mendini even for all the following years.
In this writing he clears the *kitsch*, through his reasonings but also with continuous quotes ranging from Gillo Dorfles to Abraham Moles remembering that A. Moles was quoted several times. Here Mendini reminds us how the word *kitsch* for Moles is fundamental because only through the "supermarket" reality, we realize to what extent the problem of human relations with things is at stake, and it reminds us how we are in the presence of an immense place of ostentation of objects, where man confronts himself with what is the product of his civilization. He transcends from the stereotype of "bad taste" trying to understand the phenomenon in its entirety, not referring it to the beautiful or the ugly, the good taste or the contrary, but considering it a "social fact" that must be analyzed and studied in terms of a relationship with the institutions and the social structure. «If it is true, in fact, that the *kitsch* is linked to art in an indissoluble way, we must not forget that its prosperity is linked to the excess, the power and the promotion of bourgeois civilization in the moment of affluence» (Mendini, 1979). To escape this logic, functionalism elaborates a rationality based on the concept of function.
In this context, a new figure imposes on the attention: the designer. He puts himself halfway between the creator of ideas and the consumer. He becomes an art technician rather than an artist himself; he designs but having present only what the public wants, who is willing to buy. This is the latent *kitsch* image.

Alessandro Mendini, *Per un'architettura banale*[1], *1979.*
Questo scritto rende più esplicita e organica una serie di idee che altrove ho già espresso per frammenti sulle riviste *Modo* e *Casabella*.
Il possibile concetto di una Progettazione banale, piattamente quotidiana, amorale e cinicamente nota a se stessa, è comunque qui ancora solo accennato e privo di verifiche. Mi è parso utile compiere un tentativo di spostare la problematica del Moles dal terreno socio-psicologico a quello progettuale, con le grosse conseguenze e i gravi rischi che la cosa può comportare: dal ribaltamento dei metodi all'annullamento dei valori. [...]

La fine del mito proletario
"*Kitsch*": cerchiamo il significato in tre diverse enciclopedie; il vocabolo non esiste. C'è solo nel Grande Dizionario della lingua italiana (Utet) che lo liquida in poche righe: "cattivo gusto portato al massimo grado, più o meno intenzionalmente, in determinate forme e correnti artistiche". Sotto, una annotazione scritta in caratteri microscopici, detta fra i denti in maniera un po' misteriosa: "origine etimologica incerta". [...] A chiarire un po' le cose ecco il nuovo libro di A. Moles, dove del *kitsch* viene data non solo una definizione decente, ma anche una spiegazione che trascende lo stereotipo del "cattivo gusto" cercando di comprendere il fenomeno nella sua globalità (ndr "che") si allarga sempre di più la sfera riservata alla produzione intesa come ripetizione di una catena operativa in cui l'uomo viene praticamente eliminato.
Ripetizione cui consegue una nuova attività nella relazione dell'uomo con l'ambiente: il consumismo.
Ecco, il *kitsch* è essenzialmente questo: moltiplicabile e deperibile. Per definizione è basato sulla civiltà consumistica che crea per produrre (moltiplicabilità) e produce per consumare (deperibilità). Nato nella Germania di fine secolo con vari significati (vendere una cosa al posto di un'altra; spazzatura artistica; far di mobili vecchi mobili nuovi) "*kitsch*" ha finito per significare la negazione dell'autentico; anzi l'autentico in versione supermercato, cioè stravolto da un qualcosa che rende il pezzo raro alla portata di tutti e di tutte le tasche: autenticamente falso. [...] La parola per Moles è fondamentale perché solo attraverso la realtà "supermercato", ci rendiamo conto fino a che punto è in gioco il problema dei rapporti dell'uomo con le cose.
L'autore dice che siamo in presenza di un immenso luogo di ostentazione di oggetti, dove l'uomo si confronta con quello che è il prodotto della sua civiltà. È questa l'immagine *kitsch* latente (ma non troppo) dell'universo contemporaneo di cui il libro vuole essere rivelatore. Merce a buon mercato per tutti. Merce deperibile a buon mercato per tutti, ma fruibile subito. Merce accettabile perché non urta il nostro spirito con una trascendenza fuori dalla vita quotidiana. Allora: merce deperibile a buon mercato che ha lo scopo di fare la nostra felicità, senza sforzo, senza contrasti. Fenomeno tipicamente borghese, il *kitsch* raggiunge il suo apogeo con la esplosione della società affluente. Non esistono più bisogni che non possono essere appagati.

[1] Freely based on www.ateliermendini.it

Questa società è in grado di soddisfare ogni tipo di bisogno: nel grande magazzino si può trovare un numero indefinito di oggetti a buon prezzo. A meno che non si voglia ricorrere alle vendite per corrispondenza che garantiscono qualità e convenienza senza sprechi (?!) di tempo che costringono ad abbandonare il paradiso dell'appartamento.
Questo stile di vita *kitsch* lo troviamo anche nella letteratura. Il libro di Moles è molto ricco di esempi; a noi basta qui citare le parole dell'autore: "l'accumulo, la sinestesia, la mediocrità dorata, l'angoscia possessiva, la sproporzione fra i mezzi e i fini, il romanticismo, queste sono le componenti del pasticcio *kitsch*". E poco più avanti: "i sistemi di associazione impiegati nella letteratura *kitsch* obbediscono all'automatismo di una società priva di conflitto".
La meta è il mercato totale. È in questo contesto che viene a inserirsi il discorso sulla tesi funzionalistica che "nasce da una reazione contro la proliferazione dell'inutile, da una volontà di rigore, da una accettazione dell'oggetto o del prodotto tecnico così com'è, che si tratti di una parete in cemento di Le Corbusier o delle superfici non strutturate degli anni '30". Ora è chiaro che una reazione contro la proliferazione dell'inutile non può che porsi come l'*antikitsch* per eccellenza. Dice Horkheimer:

L'invocazione della Kultur (in opposizione alla Zivilisation) è impotente. Ma altrettanto vero è che l'attività dello incivilimento come produzione e uso coltivato di meri oggetti strumentali e per di più spesso superflui, si è resa ormai fine a se stessa in misura intollerabile, e che gli uomini non sono più o quasi padroni di quest'apparato, ma suoi funzionari, ovvero consumatori coatti di quel che esso produce. (Adorno & Horkheimer, *Lezioni di sociologia*, 1966, p. 108)

Per sfuggire a questa logica il funzionalismo elabora una razionalità che si basa sul concetto di funzione. La bellezza scaturisce dall'adattamento di un oggetto al proprio scopo (Gropius). In contrapposizione al *kitsch*, viene proposto il giusto impiego dei mezzi per raggiungere dei fini. Ma quali fini? I funzionalisti non possono fornire una risposta. Di questo vuoto approfitta l'uomo-*kitsch* che attraverso le leggi dell'estetica industriale aprirà le porte al *neokitsch*. Paradossalmente la razionalità funzionale dei funzionalisti si trasforma nelle aberrazioni della funzionalità, dell'iperfunzionalità dell'innovazione tecnica.
In effetti, a voler ben considerare, l'idea stessa di funzionalismo non può non avere come conseguenza che uno sviluppo di tipo *neokitsch*. Si può al limite del discorso, produrre in maniera razionale ciò che non serve a niente, l'inutile, lo spreco organizzato. "Si doveva realizzare una società che fosse più razionale e umana anche nei suoi aspetti più periferici, come potevano essere una sveglia o un televisore. Questo operatore alla fine si accorge di aver modificato la sveglia e il televisore, di non aver condizionato il potere, di avergli fornito soltanto nuovi pezzi di vendita. Così è successo che il contesto politico abbia assorbito e cambiato direzione all'utopia del design" (Enciclopedia Feltrinelli Fischer: Comunicazione di massa, *Design*, p. 94).

Nasce così il supermercato che si pone come luogo di concentrazione di oggetti capaci di creare piacere a misura d'uomo attraverso quattro elementi:
1. la falsa funzionalità, ottenuta con la riduzione delle dissonanze sul piano semantico;
2. il piacere ludico, bisogno represso e quindi più intenso;
3. la perenzione dell'oggetto, come elemento distintivo del *neokitsch* rispetto al *kitsch* tradizionale;
4. la moda che assicura una perequazione dei bisogni.
Qualche piccola innovazione la si può proporre, ma quel tanto che non dia l'impressione di una rottura con la tradizione. Così l'opera del designer diventa essenziale per il *neokitsch* che assume il modello fatto per essere copiato in migliaia di esemplari identici, come sua propria caratteristica; al punto che l'autore definisce il *neokitsch* come moltiplicabile anche nel caso si tratti di un prodotto raro. [...]
Mania possessiva. Gli "oggetti" servono all'uomo *kitsch* per riempire la sua conchiglia, il suo appartamento. Per ricostruire nel suo ambiente quella ricchezza di pezzi che ha adorato nel supermercato. Si tratta di riprodurre un microcosmo di oggetti che somigli il più possibile al macrocosmo del supermercato. Questa riproduzione rimane *kitsch* anche se fatta con un insieme di quadri d'autore che non sono essi stessi *kitsch*, ma fondano l'ambiente *kitsch*, come ripetizione della categoria "quadro d'autore". Allora diventa essenziale all'analisi comprendere la relazione uomo-oggetto.
L'effetto dunque è stato raggiunto. Il soddisfacimento (apparente) di ogni tipo di bisogno, da quello biologico al più raffinato e sofisticato, inducono alla coscienza felice. [...] Quale sarà il futuro? Moles ritiene che il *kitsch* conduce alla condizione di *kitsch* l'intera società, in cui gli stessi rapporti sociali sono influenzati e trasformati dai rapporti dei singoli con gli oggetti. Allora del k*itsch* si potrebbe arrivare a dare una giustificazione sociologica dal momento in cui il legame fra vita quotidiana e *kitsch* appare essenziale. "Esso rifiuta la trascendenza e si stabilisce nella maggioranza, nella media, nella distribuzione più probabile. Il *kitsch*, diciamo noi, è come la Felicità, per tutti i giorni" (Moles, p. 208). La conclusione: ogni essere umano in quanto uomo quotidiano non può che sottostare al *kitsch*, sia egli un eroe, un asceta, un artista. Chiaramente l'accento è posto su una situazione di impotenza dell'uomo. Il *kitsch* non è eliminabile. È meglio allora imparare a viverci insieme, ad addomesticarlo tentando di tanto in tanto a livello strettamente personale (divagazioni consentite solo agli intellettuali) qualche sopraffazione.

La coscienza infelice

[...] Indirettamente Moles ci mette in guardia dal considerare il *kitsch* come una semplice espressione del cattivo gusto, della banalità, dell'ovvio, di cui sorridere. Il *kitsch* secondo Moles è un modo di vivere appunto dell'uomo-massa che si trasforma in uomo-*kitsch*; e non tanto perché l'uomo-massa fa suoi determinati oggetti al limite del buon gusto (come "fatto sociale" il *kitsch* non è scelta individuale ma un insieme di modelli di comportamento che siamo spinti a far nostri).

L'essenza del fenomeno va ricercata nel modo di porsi della produzione industriale. Già, perché la nostra società produce, raramente crea e quando crea, crea per produrre. E produce perché qualcuno consumi. Tutto ciò suppone una società affluente che organizzi lo spreco. Senza spreco non c'è produzione, non c'è consumo e il sistema s'inceppa. E perché ci sia spreco occorre creare (qui sì creare) bisogni sempre nuovi. E qui arriviamo a uno dei punti che più stanno a cuore a Moles: la costruzione di una "Teoria dei bisogni", partendo dal *kitsch*. È questo il punto focale di tutto il saggio. L'individuazione di un modo di vita *kitsch* sarebbe fine a se stesso se non avesse presente lo scopo della costruzione di una teoria capace di rendere espliciti i meccanismi che portano al fenomeno *kitsch*. Se così non fosse, il libro di Moles non si distinguerebbe da altri: vedi, per esempio, la raccolta antologica di Dorfles, apprezzabilissima per la sua completezza e la ricchezza di argomentazioni e immagini, e in particolare in essa il capitolo di Gregotti su *kitsch* e architettura. [...] Si tratta, in ultima analisi, di una propensione al consumo: a questa propensione non sfugge di certo l'Unione Sovietica e neppure la Cina dopo la banda dei quattro. Si potrebbe al limite parlare di un consumo diverso ma che è in linea con la stessa identica logica della società dei consumi. [...]
Sarebbe perciò importante integrare lo sforzo teorico di Moles rifacendosi ad una serie di connessioni che potrebbe essere la seguente:
a) Teoria dei bisogni e funzionalismo;
b) Teoria dei bisogni e manipolazione;
c) Teoria dei bisogni, assenza di conflittualità e creazione di consenso;
d) Teoria dei bisogni e scoperta del fatto che non esiste più un proletariato rivoluzionario.

Qualche breve annotazione a questi quattro punti.
a) Teoria dei bisogni e funzionalismo. L'idea stessa di funzionalismo richiama quella della soddisfazione di un bisogno. [...] Del resto Moles riconosce questa realtà: "A questo punto la tendenza della funzionalità degenera nella frenesia del *kitsch*. Il coltello da pompelmo, lo spazzolino da denti elettrico, il coltello a pila, le cesoie per l'uovo à la *coque*, sono tutti elementi aberranti della società produttrice che gira a vuoto e che fa capo a un gioco quasi del tutto gratuito". C'è da porsi allora la domanda se, come afferma l'autore, il *neokitsch* nasce dalla crisi del funzionalismo o non è piuttosto spinto alle estreme conseguenze.
b) Teoria dei bisogni e manipolazione. Parliamo qui di manipolazione nel senso descritto da W. Mills nel suo libro "La élite del potere":

Formalmente l'autorità risiede nel popolo, ma, di fatto, l'iniziativa sta in mano a ristrette cerchie di persone. Per questo la tattica comune della manipolazione consiste nel far sembrare che le decisioni vengono prese veramente dal popolo o almeno da larga parte del popolo. Per questo gli uomini che hanno accesso all'autorità, anche quando potrebbero investirsene, preferiscono i sistemi segreti e più tranquilli della manipolazione.

Chi detiene il potere può far uso della manipolazione prendendo delle decisioni, oppure, in maniera più subdola, astenendosi dal prendere decisioni. È così che si può creare un bisogno di sicurezza economico e sociale in forza del quale tutto è lecito al potere. [...]
c) Teoria dei bisogni, assenza di conflittualità e creazione del consenso. Il merito del libro di Moles, la sua rilevanza dal punto di vista sociologico, si deve proprio al fatto che il *kitsch* (inteso come modo di vivere tendente a soddisfare bisogni sempre nuovi), viene descritto come essenzialmente conciliante; le sue preferenze vanno alla mediocrità, a ciò che può essere accettato senza sforzo, è apprezzabile il talento, non tanto il genio; si accetta il design, si rifiuta l'arte d'avanguardia; la sfera spaziale dell'uomo-*kitsch* è l'appartamento, luogo dove egli può esercitare il suo pieno piccolo dominio, senza che questo susciti competizioni o gelosie pericolose. Allora il *kitsch* nella sua definizione canonica costituisce una riprova della scomparsa della conflittualità della nostra società. La lotta di classe s'è imboscata. Che sia positivo il consenso fra le classi? Non è positivo, perché favorisce l'emarginazione, il ghetto, la disoccupazione, lo sfruttamento, l'esercizio spregiudicato del potere che diventa sempre più arrogante. [...]
d) Teoria dei bisogni e scoperta che non esiste più un proletario rivoluzionario. [...] La coscienza dello sfruttamento, grazie alla manipolazione in atto e alla conseguente eliminazione della conflittualità, ha lasciato il posto a una pacata accettazione che genera indifferenza e qualunquismo. [...]
Scomparso il proletariato rivoluzionario, la parola rivoluzione resta a una fascia di emarginati cui si aprono due strade: il paradiso della droga o la banda armata. C'è una terza via, ma è la più difficile: quella della "coscienza infelice", cioè quella dell'accettazione critica e cinica del banale quotidiano.

Contro il design della miseria

Tutti conoscono l'accanimento con il quale Enzo Mari gioca la sua responsabilità di presidente dell'Associazione Disegno Industriale di Milano, nel tentativo di modificare la struttura stantia e di dare indicazioni efficaci al lavoro dei progettisti designers, oggi quanto mai problematico.
Per quasi un anno ha messo a punto una "Ipotesi di rifondazione del progetto", resa pubblica in un laconico stampato di ventiquattro pagine.
Si progetta per soddisfare dei bisogni, sostiene Mari, e ciò avviene, ovviamente, mediante la tecnologia della nostra epoca fondata sulla produzione industriale: ma qual è in realtà il rapporto tra produzione e bisogni? E quale tra progettazione e produzione industriale? [...] Allora, sostiene Mari, vero è che "il sapere tecnico-scientifico è sempre più incorporato nel capitale e nelle sue macchine", e perciò colui che progetta davvero non è mai il progettista, ma è l'astratta figura del capitale.
Qual è lo spazio che rimane al designer? Null'altro che "la manipolazione dell'oggetto prodotto a fini consensualistici, dalla forma alla presentazione pubblicitaria". Del resto, ecco il paradosso espresso sottilmente da Dorfles: "Il disegno industriale esiste in quanto esiste la società dei consumi".

Il designer non partecipa alla fase principale, alla definizione dei bisogni. Tutte le scelte vere sono fatte a monte e sono per lui vincolanti: il suo ruolo si limita a quello di "strumentatore tecnico e persuasore di massa". [...]
Mari nega che il designer possa restare ancora a lungo un subordinato che progetta forme più o meno piacevoli, chiuso dentro il suo guscio disciplinare. Ma nemmeno crede al ruolo demiurgico che il designer spesso si attribuisce, né alle utopie umanistiche, né a un possibile governo dei tecnici. [...]

La merce infinita

Quando dirigevo *Casabella* fra il 1970 e il 1975 svolgevo assieme ad altri quell'esperienza che oggi viene chiamata del "radical design" e che ora è cambiata molto.
Casabella fu in quel periodo il luogo di dibattito di un piccolo ed eterogeneo sistema di culture minoritarie internazionali, che senza di essa forse non sarebbero state documentate.
L'epoca era quella appena dopo il 1968 e ogni esperienza, anche di tipo figurativo degli studenti e dei gruppi con i quali ero collegato, partiva dall'utopia di una "rifondazione radicale del progetto". [...]
Rifondare significa fare tabula rasa, significa vuotare tutto, cambiare tutto, reinventare completamente il rapporto fra le parti, ricostituire tutto il sistema dei termini in questione, creare un confine preciso fra un prima e un dopo, dove il dopo sia tutto differente dal prima.
Vuol dire anche pensare che i problemi siano affrontabili per una via unitaria, con concezioni sintetiche. [...] Dopo l'epoca eroica in cui fu chiamato alla ribalta da parte degli studenti nel 1968, il concetto di rifondazione si trascina oggi in uno stato di vuoto. E ormai quel gergo, quella struttura e quella sostanza sono lontani, i problemi sono molto mutati rispetto a quell'epoca, quando gli intellettuali di sinistra erano una minoranza e quando la lotta si svolgeva con precisione fra destra e sinistra. L'utopia della rifondazione oggi può essere ancora solo un concetto perseguibile da piccoli gruppi progettuali d'urto, come, in effetti, è stato durante l'ultimo decennio. [...]
Analizziamo la parola "progettuale", lasciando da parte i progetti d'altra natura, per esempio quelli amministrativi, legislativi, burocratici, economici, eccetera. Per quanto riguarda architetti e designers ritengo che progettare significhi ancora svolgere a qualsiasi livello processi di formalizzazione, occuparsi di problemi di espressione, comunicare tramite le forme funzionali. Quello che occorre vada perduto in modo definitivo è il senso sintetico, monolitico, determinista, carismatico del progetto, con il progressivo difficile avvio dell'idea di "democrazia progettuale", per quanto complessa e problematica essa sia. Parlare ontologicamente di Progetto al singolare e con la p maiuscola dovrebbe sembrare oggi un atto metafisico; i progetti non sono uno ma tanti, sono un intreccio volutamente contraddittorio e infinito. [...] Il progettista sarà invece sempre più un animale "a sangue caldo", con influssi, riflussi e alchimie. [...]
Occorre una visione frammentaria e particolare del progetto e bisogna credere che le azioni e gli oggetti molto elementari possano servire alla rivoluzione progettuale e a

scardinare la roccaforte reazionaria delle discipline. Non è più il tempo del passaggio di nozioni da piccoli gruppi che sanno verso grandi gruppi che non sanno: lo dimostrano il vitalismo delle minoranze e del contropotere, la debolezza culturale dell'accademia e del professionismo. Occorre occupare non zone disciplinari ma zone infradisciplinari. Bisogna sostituire la parola "progetto" con la parola "vita", nel senso che mentre il vivere coinvolge tutti, il progettare coinvolge solo gli specializzati. È importante tendere verso la despecializzazione del progetto, verso l'acquisizione di atteggiamenti esistenziali, discontinui, incoerenti, liberatori e corporali, opponendo il progetto vivo di se stessi a chi si ostina a compiere il pedante progetto delle cose. [...] È anche importante considerare che il progetto fa parte del meccanismo che in definitiva produce quell'insieme infinito, quella galassia fantasiosa che si chiama "merce". Allora quello del vendere, comperare, scambiare, scegliere, usare, eliminare oggetti progettati è un complesso di atti estremamente importante sul piano delle comunicazioni umane. Un complesso di atti fra i quali quello del progettare non è privilegiato, ma paritetico agli altri. [...]
Da tempo l'uomo di massa riversa a valanghe addosso a noi intellettuali gli stilemi che noi abbiamo imposto. Ce li riversa in grande quantità dopo averli rielaborati e resi culturalmente omologhi e adatti a se stesso. Questa operazione di risemantizzazione semi-popolare viene di solito compiuta da semispecialisti, quali geometri, piccole industrie, eccetera, che possono essere considerati i veri rappresentanti progettuali della creatività di massa, che producono edilizia ed oggetti nei quali si è perduto il terrorismo tipico del progettista intellettuale. Con questa edilizia, con questi oggetti e ambienti banali, che sono acquisiti intimamente dal pubblico normale nel suo quotidiano, l'uomo di massa si sente a suo agio, svolge la sua azione di creatività indiretta, applica la rilassante estetica della sua normale giornata, il diritto di usare dei progetti "autenticamente falsi".

Creatività piccolo borghese

Il grande numero e la grande serie contengono e implicano il concetto di "banale". La moltiplicazione del capolavoro è una utopia intellettuale. "La Gioconda" di Leonardo non è *kitsch*, lo sono invece le sue infinite riproduzioni vendute dal cartolaio. Così dicasi per le case a schiera di Gropius o per i mobili in serie: la quantità non sfugge al banale. Parlare di banale vuol dire parlare di *kitsch*, cioè attribuire un significato al cattivo gusto. [...] Vorrei qui formulare l'ipotesi di un passaggio dell'esperienza *kitsch* dal terreno "sociologico" a quello "progettuale" dell'architettura e del design, dal *kitsch* come mezzo di analisi sociale al *kitsch* come metodo di lavoro per coloro che realizzano oggetti: una presa di coscienza progettuale del *kitsch*. Se, infatti, si considera il *kitsch* come un'ottica quanto mai vasta e aggiornata per interpretare la cultura materiale che ci circonda, allora può essere breve il passo verso una "metodologia di progettazione *kitsch*", cioè verso un *kitsch* culturalmente noto a se stesso. Una possibile cinica sconvolgente carta da giocare nel momento in cui tutti i metodi di progettazione segnano il passo, funzionalismo, tendenza, radicali compresi.

L'esplosione del *kitsch* moderno è a catena: perché non sfruttare il rapporto naturale, intimo e mitico che si instaura fra l'uomo e l'oggetto cosiddetto "brutto" in qualsiasi società di massa? Ad uomo *kitsch*, oggetti e case *kitsch*: esaltazione paradossale delle convenzioni, trionfo dell'autentico mancato, ribaltamento del buon gusto, disponibilità ad una finzione estetica corrispondente alla finzione della vita quotidiana: non impegnativa, non drammatica, accattivante, rilassante.
Orologi a cucù, *cognac* non francesi, piante grasse presso il divano, villette dei geometri, vedute del Vesuvio in plastica fosforescente: queste le idee usuali sul *kitsch*, di carattere *kitsch* esse stesse. Ma la fenomenologia del *kitsch* è ben più vasta e complessa, non si riduce alle torri Eiffel divenute bottigliette da profumo, né alle Madonne di Lourdes stampigliate sui costumi da bagno. [...] Allora del *kitsch* esiste pure un'altra faccia! *Kitsch*, per esempio, significa anche la presa di coscienza del quotidiano, è il rapporto esistenziale dell'uomo con l'estetica spicciola, è una sorta di immagine speculare all'arte. Il *kitsch* è un fatto politico direttamente legato alla forza della classe media, è il cavallo di Troia delle masse popolari per riappropriarsi delle arti. [...] *Kitsch* è arte applicata e adattata alla vita di "tutti" e di "tutti i giorni". Il *kitsch* dunque è una presenza fortissima, ineliminabile, geograficamente estesissima e vincente: tanto vale trarne vantaggio. Ben vengano nelle scuole di architettura e di design dei corsi speciali sul banale, delle grosse discussioni sul *kitsch*.

Il progetto amorale

Proponiamo un obiettivo che sembra assurdo: quello, cioè, di ottenere in un progetto il "massimo possibile del cattivo gusto", come dire il minimo possibile di qualità estetica. [...] Pensiamo, per esempio, di progettare una casa. Possiamo allora introdurre nel nostro progetto una serie di regole, stilemi, forme e materiali tratti e elaborati razionalmente dall'infinito mondo della "fantasia banale", tipica dell'uomo di massa. A modo suo, l'obiettivo è rivoluzionario: infatti la tradizione retorica e sostanza del progetto, l'ideologia del Movimento Moderno cui nessun progettista borghese (e anche rivoluzionario) viene meno, è quella che lo vuole elitario e demiurgo nei confronti di un fruitore da elevare all'uso di una casa supponente e paternalistica, da educare alla comprensione di una casa che non gli appartiene intellettualmente. Con il proposito che ci siamo dati, invece, l'operazione è opposta.
Qui il progettista tenta di rilevare e assemblare delle regole e dei criteri tratti dalla realtà di quel "quotidiano oggettuale" che già appartiene di fatto al mondo piccolo borghese, quella realtà infinita degli oggetti di serie e dei bisogni così come li ha selezionati, organizzati e indirettamente elaborati e voluti l'uomo di massa. [...] Proseguendo nel nostro assurdo obiettivo, applichiamo allora certe norme tratte dall'analisi del *kitsch*: come l'uso spregiudicato dei materiali finti (tipico il marmo), l'uso romantico dei materiali naturali (la fioriera in corteccia d'albero), l'aberrazione dimensionale (finestre in miniatura), l'accostamento stridente di colori, materiali e forme (rosa accanto al marrone, ferro accanto al tessuto, forme geometriche visibilmente errate), la retorica della tradizione e del dinamismo (base della

casa in sasso, camino aerodinamico), l'estraniamento dei significati (soggiorni che sembrano taverne), la ridondanza delle quantità (eccesso di balconi), eccetera. Applichiamo anche con cura le norme edilizie correnti, gli *standard* usuali dei manuali dell'architetto e del geometra, e pure il mediocre mercato degli elementi edilizi industrializzati presenti nei cataloghi edili (serramenti, piastrelle, intonaci, coperture, gronde, maniglie, ringhiere, eccetera). Componiamo accortamente un concentrato iperrealista con tali complicati ingredienti (qualcosa di analogo alla "complessità" teorizzata da Bob Venturi), e la nostra casa risulterà come una specie di crostaceo, i cui pezzi e il cui insieme saranno polemicamente incoerenti. Avremo così raggiunto quel massimo di cattivo gusto che ci eravamo prefissati, avendo gettato a mare tutta la prassi e i valori tramandati dall'accademia e dal nostro classico *background* culturale di architetti, soprattutto la ricerca spaziale e compositiva, la morfogenesi tipologica, l'istanza funzionale.
Lo stile raggiunto nel progettare la "casa banale", la casa come *souvenir* di se stessa, sarà cinicamente caotico, esuberante, iconico, psicologico, impotente e pessimista: ma sarà anche lo stile non violento della "coscienza felice", tipica di quell'uomo di massa che sa di non potere più perseguire il miraggio proletario. [...] Il progetto è un assoluto non perseguibile: tanto vale rinnegare il miraggio ontologico e aggredirlo per negazione, enfatizzando al massimo l'errore.

Alessandro Mendini, 1979

References

> Mendini, A. (1979). Saggio introduttivo. In A. A. Moles, *Il Kitsch*, l'arte della felicità. Roma: Officina edizioni.

A. Mendini
2001
POLTRONA IN UNA STANZA

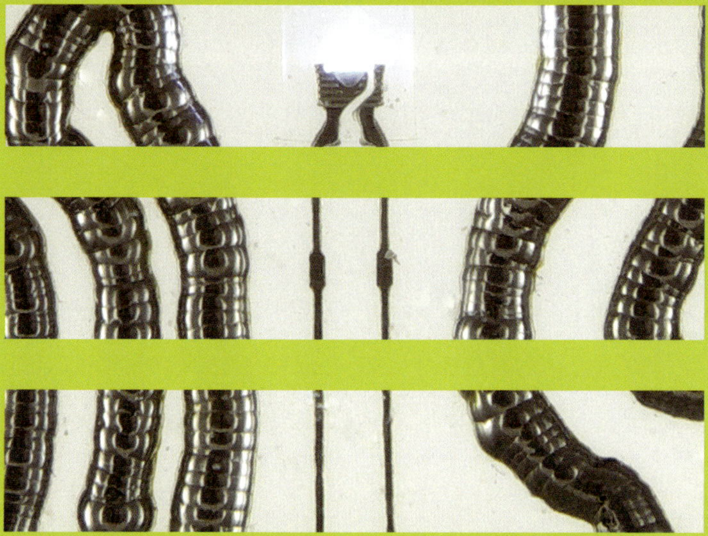

Think

The design of the invention
Mario Buono

Design, ingenuity, and imagination
Sabrina Lucibello

Design between invention, interpretation, translation
Lucia Pietroni

Futurecraft: Design as Mutagen and Inventor
Carlo Ratti

Think gallery > p.54/p.67

The design of the invention

Design is invention and it is possible to identify new product and process solutions starting from the search for formal and technological solutions aimed at responding to the needs linked to the culture of everyday life through the creativity used with scientific rigour and the sensibility of the sense designer.
Addressing the designer's activity towards new inventions could appear extremely ambitious given the multitude of objects and processes arising from the design culture linked to industrial design which pervades our everyday life.
The inventive activity is configured as the action aimed at "seeking" and "finding" effective and more efficient solutions, often fruit of unusual relationships between existing knowledge. Many patents and inventions filed concern "variations of everyday objects", the result of creative hybridizations that reinterpret consolidated solutions in a new way, as in the case of "unBrella", a renewed version of the folding umbrella which, closing upwards with the slats that remain outside, reverses the usual form patented by Bradford Phillips in 1969 and since then remained almost unchanged.
On the other hand, «perfection it is not attainable, but if we chase perfection we can achieve excellence». In the same way the designer, to re-discuss the paradigms and the foreshadowed and consolidated schemes, will have to intersect knowledge and mix science and humanistic disciplines, constantly reshaping behavioural and sensory models to rethink forms and functions and to invent new relationships between man and artefacts.
In industrial design the art of mixing knowledge has always been a constant that has accompanied the ingenuity to become the foundation of the renewed relationship between art and technology and between nature and artifice.
Design and creativity, invention and immersion in the unstoppable hyper-technology are the indispensable themes of the contemporary panorama.

[invention, creative processes, inventor, hyper-technological designer, interdisciplinarity]

Mario Buono

Full Professor, Università degli Studi della Campania "Luigi Vanvitelli"
> mario.buono@unicampania.it

Who is the inventor today? To answer this question, it is appropriate to reconsider, among others, the role and ambitions of the designer in the current technological context that involves innovations concerning the analysis of digital data, artificial intelligence and the blockchain, and then move on to the definition of a solid theory of the discipline of industrial design.
Remembering the «creative power of Borromini [...] [committed] to continually seek new forms and to achieve the highest formal perfection through the continuous variation of the idea devised» (Bösel, 2000, p. 35) can help to understand the inventive will of the Ticino architect that can be traced in his own words

> those who go after others never go before them. [...] I certainly would not have placed myself in this profession with the aim of being only a copyist, knowing that in inventing new things you cannot receive the fruit of fatigue, if not late. (Borromini, 1725)

The work of Borromini certainly represented a change of paradigm in the architecture of the seventeenth century that still surprises and questions scholars and users of Baroque architecture; on the other hand, his inventive genius was not confined to architecture alone but includes furnishing elements and railings, as shown by the confessionals of the Roman church of *San Carlo alle Quattro Fontane* or the numerous drawings of iron for the well in the cloister of the same building.

Possible trajectories

«Invention is the prerogative of inventors, technicians, engineers, industrial laboratories, never of designers. On the other hand, it is up to them, at the end of the creative process, to study an understandable and pleasant form to represent the invention itself» (Tonelli, 2008, p. 13), so Maria Cristina Tonelli summarized the crux of the relationship between invention and design, revealing a clear "scepticism" towards inventive attitudes recognized to the designer; such considerations induce us to start a rethinking of the role of the designer and, even before, of the discipline of industrial design in the current technological panorama, which is very complex and in continuous evolution. Nowadays' products represent the synthesis of a complicated mix of technologies where human-artefact interaction is increasingly requested with the aim of guaranteeing higher performance. All sectors of the production of artefacts and processes are strongly permeated by the need to ensure high usability levels characterized by physical, sensory and cognitive parameters. The identification of solutions to provide answers as synthesis of such diversified needs, impose creative and inventive processes that define unexplored trajectories to be built. The expected solution of a product is certainly not the only formal answer but the set of answers able to favour new behavioural models, new material and sensorial universes to rethink the interaction between man and artefacts.

Through creativity and innovation, the designer will have to be "inventor" capable of interpreting and translating the incessant technological evolution by pouring it into the configuration of new products and defining new production processes.
In this sense it may be useful to recall the role of innovator covered, starting in the 1920s, by «Corradino D'Ascanio, engineer, designer of the variable pitch propeller, inventor of the helicopter [...] with such technical skills not to be» (Tonelli, 2008, pp. 13-14) within the reach of all designers, «a designer who lived perpetually on the border of the disciplines and nourished himself of competences coming from different knowledge» (Simonelli, 2008, p. 17) to reaffirm the necessary transversal approach between the different disciplines in the invention process based on disciplinary intersections.
Rethinking the figure of the designer in the current hyper-technological landscape, raising knowledge, technical and creative skills to the point of obtaining "inventions", means first of all recognizing the complexity and the ramification of the networks and the "chains" of the project that can no longer be traced back to an act basically unitary, interpreted by a single person, but collective, developed by different professional figures with different levels of specialization (Simonelli, 2008, p. 18).
The «mass of information available to [...] [designer] far exceeds the capacity for individual memorization [...] [and therefore we must consider] that it has become necessary to act in teams, associating human and artificial components» (Marchis, 2000, p. 64) to be able to respond to the needs to satisfy the quality of life also through technological evolution.

The discussions between researchers, the continuous exchange of ideas, inside and outside the work, deeply permeate the "dialectic of discovery" [since] [...] influence the results [since]. [...] the golden age of the "heroic and solitary" inventors – if it ever existed – appears today gone. (Ramella & Trigilia, 2010, p. 105)

The definition of the discipline and the boundaries of design is certainly in progress and we do not want to outline a new approach here but redefine the figure of the designer as an inventor capable of interpreting and recognizing the complexity of the social and technological context in which he/she operates. The current hyper-technological landscape appears to be devoid of the indispensable characteristics useful for defining the boundaries of the discipline of design and the design approaches necessary to guide the natural evolution of the shapes of objects, including meaning and sense through the necessary inventive connections between usefulness and form. «The world of phenomena that we perceive with our senses is [attributable to] an amorphous chaos behind which eternal, immutable forms are hidden, which we can perceive thanks to the super-sensorial perspective» (Flusser, 2003, p. 7).
«Design represents the point where great ideas converge which, coming from art, science and economy, have been enriched and superimposed in a creative way with one another» (Flusser, 2003, p. 5).

The creative process necessarily intercepts complex factors related to the relentless technological evolution and to complicated systems linked to the particularity of today's products and production processes.

The designer-inventor between analysis and design

Looking at Borromini's forms or at D'Ascanio's innovative solutions can help bring the attention of designers to forms that contain essential functions of invented solutions. It is, as happens in nature, to emphasize in the path of invention the design process in which the relationship between form and function is the coherent response to the needs and requirements to be met.

Before the current technological and digital revolution, the introduction of electricity has certainly influenced the behavioural patterns of man, besides having constituted a season full of inventions and social changes.

Electricity, which has now reached all the houses, [...] imposes new needs: the electric and domestic appliances are growing out of all proportion and [...] the utopia of the "electric house", forerunner of the global village, begins to be a reality for everyone [...] (Marchis, pp. 28-29)

involving engineers and inventors in a conspicuous patent activity that, from the switches to the outlets, involved, also through electronics, the profitable market of cars and accessories.

Comparing the significant transformations recorded with the advent of electricity with the potential obtainable today from information technology, from robotics or from biotechnologies, only partially highlights the panorama within which we find ourselves having to intervene. To fit into the framework of the possible configurable artefacts today and in the near future, of the forms and functions, of the complexity of the competing disciplines and of the necessary mixtures, it is desirable that the designer-inventor is able to govern and direct the technological evolution conditioning the life of the man and the new forms of everyday life through products that will certainly redefine the face of society in comparison with what happened after the introduction of electricity.

It is a question of tackling the issue of high technology for the benefit of man to invent solutions within the complex and growing panorama of robotics, biomedical and safety systems, and of tools for communication, interaction, use, innovation and control of production processes.

These solutions will constitute the formal responses that are indispensable for the IT, engineering, mechanical, digital or electronic components included in the product and present in the various phases of the production process and will represent the result of the project activity referable to the themes of the physical, cognitive and sensorial interaction of the artefacts material and immaterial that interact with man redefining the effects on the "totality of human life".

By actualizing and re-establishing the meaning of design, we could say that it still represents the point where answers converge, deriving not only from art and science and from the indispensable contribution of technological innovation and progress as the overcoming of the simplest concept of economy, answers that enrich and overlap each other through invention. Simply the ideas are the answers to the needs of everyday life while creativity, corroborated by scientific rigor, becomes the engine of invention based on the designers' knowledge and skills.
The designer-inventor, divided between analysis and project, will have to focus more on the initial phase of recognition of technologies and processes and then focus on creativity and invention.

A good designer needs a high analytical and inventive capacity to build, a special education, a sure capacity for judgment and a reliable discipline. He is responsible for providing services. Those who believe themselves to be artists must review their way of being. (Bürdek, 1991, p. 158)

Remaining in the wake of industrial design, overcoming unnecessary misunderstandings or distinctions between utility and form, it is necessary to reiterate that it has long been crossed the line that saw the need for «a new category of artists that turns its business to industrial production, which knows the new technical means, which interprets its meaning and translates it into the most just, useful and beautiful design of an object» (Zingale, 2012, pp. 47-48).
If useful is what responds to needs also through the unprecedented use of technology and beauty is the consequence of right, it is possible to converge towards the configuration of ideas that determine responses to the expressed and unexpressed needs of society through just and organic solutions, using the engine of creativity to generate inventions and, consequently, "production of meaning". «We have design [Paci says in this regard] only when we have meaningful production, otherwise we have only technological application» (Zingale, 2012, p. 48).
Design plays an absolutely complex role if we consider the possible sources from which to draw on for the re-elaboration of existing and evolving solutions.
Although it may appear abstract or lacking in concreteness, inventive activity, preceding innovation, takes the form of a systematic approach aimed at identifying the original solution to a problem in order to make progress with respect to the current and the pre-existing knowledge.
In this way:

The designer invents the forms and thus "responds with his invention to new forms that are aesthetic forms, but are also possible forms of life, to the needs of consumption"[...] to provide the "human community" with the most suitable and better conceived means to face [the problems and therefore] one's own experience [...] (Zingale, 2012, p. 52) of life, work or leisure, training or health. The times and processes of the invention are long; the original solution resulting from the invention and object of the research activity will certainly lead to design solutions that differ from the practice of the profession, immediate but of rarer innovative impact, also considering that, as has been observed, often «who presents a new idea is not always the best person to develop it. Someone else, without the innovator's fears, will be able to apply more daring methods, and make faster progress» (Dirac, 1969, p. 4).

Given that the field of inventions is extremely wide and the multiplicity of sectors is equally vast, there emerges the need to define the appropriate methodological reference approach and the actors of the process as well as the role of the designer.

The activity of invention is the idea of practical interest, which can normally be patented; it is essentially the fruit of theoretical activity that is increasingly often systematically organized as a research in its own right, or more rarely of free and random research (Cocco, 1985, p. 151).

Sometimes the topic of study, interest or in-depth analysis could seem random since, dealing with exploration and research, we encounter new questions and consequently new answers to be formulated.

Beyond the established cultural references, it remains difficult to satisfy the proliferation of needs with effective and efficient responses if not through groups and creative laboratories and industrial research where the mixture of knowledge and interdisciplinarity trace the difference in the formulation of the answers to problems generating new inventions. No longer isolated inventors, but communities of hyper-specialized researchers and designers committed to the same themes and coordinated by the set of needs prefigured by the "director" designer.

In a constantly boiling economic and social context, technology is subjected to continuous obsolescence that necessarily leads to technological change. Technological change needs to resort to theoretical activities through the expression of individual creativity (with the figure of the independent designer-inventor, currently in rapid decline) and of collegial creativity (with the figure of industrial and scientific researchers placed in research centres). (Cocco, 1985, p. 151)

If the invention can be realized through the patent activity, it is necessary to identify the novelty, the inventive activity, the industrial application and the lawfulness of the object of the patent.

The institution of the patent is offered as a privileged place to read transversally different aspects concomitant in the formation of the thought, the project, the production and the aesthetics of the modern society, [...] witness able to refer to the ever richer system of relationships that constitute the cultural, economic and symbolic strength of the industrial product, from the moment of its "invention", to the moment of its "application" and its possible industrial development: a field within which the "innovation" process is defined. (Bosoni & Picchi, p. 42)

Corradino D'Ascanio's "Vespa" represented a magnificent invention and a new solution compared to the 1945 state of the art; in the description with which Maria Cristina Tonelli summarizes the main innovative features we read:

A new and totally innovative vehicle, which did not follow any traditional logic, of which he studies the overall set and economic methods of industrialization. The "Vespa" in fact has a single-cylinder two-stroke engine, which abolishes the chain and secondary transmission to form a block with gearbox and rear wheel. It is positioned asymmetrically and moves the vehicle's attitude laterally but acts as a suspension arm for the rear wheel, which is cantilevered like the front. In addition, the wheels are interchangeable, the load-bearing body is of the automotive type, the gearbox with a knob, the spare wheel inserted in the frame, the engine covered [...] [where] the solutions made your use unprecedented, allowing easy access and comfortable seat, [...] guaranteeing driving even to the most inexperienced. (Tonelli, 2008, p. 13)

The "supporting body" in this case is a formidable example and a brilliant synthesis of a form that goes beyond the limiting approach of the creative process aimed only at the study of a «comprehensible and pleasant form» (Tonelli, 2008, p. 13); it is the demonstration that design is invention, regardless of whether a designer or an engineer is operating; a creative and inventive activity where form and function, utility and usability are concretised in the production of meaning through an artefact with an "organic character", a participant in human history and thought in relation to man and the improvement of his quality of life.
Still on the subject of innovative vehicles, an eloquent example of the rapid evolution and "replacement" of artefacts is the electric propulsion mono-wheel vehicle designed by the American designer Christopher Hoffmann and built by the Ryno Motors company in Portland. The motorcycle, on the "footsteps of the famous scooter" "Segway", uses the same principle: moving the weight forward you get the movement, moving the weight back stops you.
The evolution and research have subsequently arrived at a simplified model of the "Segway", the "Solowheel", developed by the Inventist company that proposed an electric unicycle composed of a single wheel, no handlebars or saddle, only two footrests beside the wheel where the balance is guaranteed by a gyroscope. It has the advantage of being light and easily transportable, although those who drive it are forced to remain standing without any grip on the two footrests.
The elements of the invention come from a wide variety of sources. The inventive process foresees an enlargement of the observation point to understand the greatest

possible number of sources, at the same time intercepting, among the possible answers, the crucial decisive idea of the problem as a logical synthesis between needs and responses (Paley, 2010, pp. 85-86).
The invention may be the result of a sudden intuition or the result of a methodical study, it may derive from basic physical principles applied carefully or from new applications for existing devices; in this sense the invention process should be declined in the plural, being composed of multiple processes.
The "deterministic" approach in the design activity leads to undertaking a path aimed at identifying the most efficient solution or solutions as an evolution of thought according to reason and causal, not random, necessity.
In the project, nothing should happen by chance, exactly as it happens in nature, consequently the invention takes place within the construction of a logical and rigorous path of configuration of creative processes aimed mainly at identifying unexpressed needs to be met.
The random event remains confined and linked only to the marginal "boundary" factors that affect the ways and times of the path of invention, which can be optimized and governed through scientific rigour as an inescapable approach to the project.

References

> Borromini, F. (1725). *Opus Architectonicum, Opera del Caval. F. B., cavata dai suoi originali, cioè l'Oratorio e la fabbrica per l'abitazione dei PP. Dell'oratorio di S. Filippo Neri in Roma*, prefazione: *Alli benigni lettori*, ora in Richard Bösel.
> Bösel, R. (2000). Struttura e metamorfosi: osservazioni su alcuni aspetti formativi dell'architettura borrominiana. In R. Bösel & C. L. Frommel (eds.). *Borromini e l'universo barocco*. Milano: Electa.
> Bosoni, G., & Picchi, F. (2000). *Disegno industriale e brevetto in Italia*. In G. Bosoni, F. Picchi, M. Strina & N. Zanardi (eds.). *Brevetti del design italiano. Original patents of Italian design 1946-1965*. Milano: Electa.
> Bürdek, B. E. (1991). *Design, Storia, teoria e prassi del disegno industriale*. Milano: Arnoldo Mondadori Editori.
> Cocco, G. C. (1985). *Creatività, ricerca e innovazione. Individui e imprese di fronte alle sfide della società post-industriale*. Milano: Franco Angeli.
> Dirac, P. (1969). Speranze e paure. (tr. Hopes and fears). *Eureka, n. 32*.
> Flusser, V. (2003). *Filosofia del design*. Milano: Bruno Mondadori.
> Marchis, V. (2000). Modelli per il futuro. L'innovazione ai tempi del miracolo economico. In G. Bosoni, F. Picchi, M. Strina & N. Zanardi, (eds.), *Brevetti del design Italiano. Original patents of Italian design 1946-1965*. Milano: Electa.
> Paley, S. (2010). *The Art of Invention: The Creative Process of Discovery and Design* (pp. 85-86). United States of America , Prometheus Books.
> Ramella, F., & Trigilia, C. (2010). Legami forti e deboli nella costruzione sociale delle invenzioni (p. 105). *Stato e Mercato, n. 88*.
> Simonelli, G. (ed.). (2008). Caratteri del design italiano (p. 17). *Rapporto Unioncamere sul Design nelle imprese italiane 2008*. Roma: Unioncamere - Camere di Commercio d'Italia, Retecamere Scrl.
> Tonelli, M. C. (2008). *Industrial design: latitudine e longitudine. Una prima lezione*. Firenze: University Press.
> Zingale, S. (2012). *Interpretazione e progetto. Semiotica dell'inventiva* (pp. 47-48). Milano: Franco Angeli.

Design, ingenuity, and imagination

Invention in design means putting into practice a technical/scientific idea that is the result of ingenuity. But it is also the pure capacity for imagination, capable of «altering the sensibility of the human race» (Kubler, 1962), acting as much upon the product's functions as upon the meaning. And indeed, invention in design is a process that is not in the least ingenuous or visionary, but the outcome of a highly sophisticated process, capable of selecting forms and technologies to obtain the maximum expressive result with the minimum exhibition of formal effort, and of stereotyping itself in formally essential objects. This is why innovation, for design, cannot be resolved only as a "muscular" display of innovative technologies, of use more for simplifying realization processes than for creating new functions or new languages. The designer's activity is in fact mainly that of serving as a mediator between art, technology, and society, interpreting not only functions, but also the meaning of discoveries in inventions of "sign mediations" and of new "social garments" (Zingale, 2012). Starting from these assumptions, the paper proposes a classification by categories, in which innovation in design is read as the result of a technological transfer process; as a spontaneous or even random activity; as the ability to apply "simplexity" by making the complex simple; or as a reaction to limitations and scant resources, by offering a vantage point that, without denying the potentials offered by recent innovations, aims to reaffirm the more humanistic and less technocratic dimension of our inventive capacity. This inventive capacity is not played out in the aesthetic dimension alone, but can join this imagination to define new uses, functions, and languages. Starting from here, the designer can and must set off again – while keeping his or her role well in mind – to configure a new humanism.

[invention, innovation, imagination, aesthetics, languages]

Sabrina Lucibello

Associate Professor, Sapienza Università di Roma
> sabrina.lucibello@uniroma1.it

Contrary to common belief, which sees the origin of an invention in the stroke of genius, the process of invention can be a very long activity, of which the "idea" represents only a very small part; in fact, according to one of history's greatest inventors, Thomas Alva Edison, «Genius is one percent inspiration, ninety-nine percent perspiration»[1] (1903).

Quite unlike discovery (often the result of serendipity[2] capable of bringing to light only what already exists), invention is in fact the creation of something that did not exist earlier – not only in culture, but in nature, too.

Once the invention has come to light, there is also the long phase thereafter, so it might be made available and usable, thus becoming innovation which, in turn, will generate progress and social change.

Innovation, which Schumpeter[3] sees as representing discovery in its applicative dimension and invention in its commercial one, may regard, among other things, a process or product[4] that, to become such, requires investment in terms of knowledge, capacity, information, and financial resources. Thus it is that while discovery takes place in a scientific setting (pure research), carried out by researchers and scientists, invention is born following long experimentation in an industrial setting, at research and development facilities.

Part of this framework is the activity of the designer who, by fulfilling a "social role" and a semiotic function, mediates between art, technology, and society, interpreting – as Italian philosopher Enzo Paci[5] maintained – not only the functions of the product, but also the "meaning" that the form he or she creates can potentially have for people.

The designer's semiotic work often consists, then, of "inventing", but not only – at least not only – in the "engineering", sense, but also in terms of invention of "sign mediation", of new "social garments", also in order to respond to the needs of consumption.

The designer's work is therefore one of interpretation, translation, looking forward, and projection. Indeed, all artefacts, before being designed, are absent and possible; if we can conceive them, it is only via logic and abduction[6] (Zingale, 2012) – that is, the inference capable of initiating every interpretative path, which is the instrument of the designer's work.

This deep thought, capable of being stereotyped in formally essential objects, is played out upon the dialectics between art and technique, between simplicity and complexity, and upon design's ability to exploit real or apparent contrasts to produce innovation, at times spilling over into utopia without letting itself be overwhelmed. This results in objects that may be likened to physical nexuses of social and cultural connections, which take shape through interactions on the digital plane, as well as on the more traditional one.

Kubler, in his 1962 "The Shape of Time: Remarks on the History of Things"[7], in defining "artistic" or aesthetic invention, says that this is invention capable of «altering the sensibility of the human race … [and by drawing] its entire origin from human perception … leads back to it", and is distinguished from "useful" invention, which is "linked to the physical and biological environment» (pp. 90-91).

According to Branzi (1988), this sort of intertwining between art and technology is to be seen as having an aptitude for disorientation, especially in Italian design. This leads to looking to the world of art for its technological possibilities and to the world of technology for it expressive capacities, thereby sealing the assumption that the road to innovation passes as much through invention as through imagination, at times even surreal, the result of a visionary capacity closer to utopia than to concreteness. This is a highly personal, Latin approach to design: visionary yet concrete, resistant to automatically adopting the demands of orthodox rationalism, and capable of conserving the genetic code of Italian design (Lucibello & La Rocca, 2014).
Baudrillard even says that "the modes of imagination follow the modes by which technology evolves, and future technical efficiency will create a new imagination" (1968), confirming the fact that the best inventions are fortunate intuitions, the synthesis between worlds and things that are apparently more than distant, placed creatively in a relationship with and in connection to one another.[8] The range of "imagination" in terms of invention is easy to understand when we consider, for example, the ability of many directors to conceive artefacts or technological instruments that then became reality, such as the interactive screen in Steven Spielberg's "Minority Report", or many of the objects used by James Bond or by the characters in Stanley Kubrick's "2001: A Space Odyssey".
This process, not in the least ingenuous or visionary, is in turn the outcome of a highly sophisticated process, capable of selecting forms and technologies to obtain the maximum expressive result with the minimum display of formal effort. But care should be taken with the current paradox, which offers us a glimpse of the new conditions characterizing contemporary production, and tends to favour an innovation aimed not only at the product, but also at the way of communicating its philosophy, also through a spread and at times "spectacularization" of the processes of design and production (diffuse creativity, makers, industry 4.0, etc.); this paradox exposes us to the danger that the changed cultural and technical conditions, which now promise new degrees of freedom for those doing design, may be resolved only in favour of «a new functionality [of objects], a new value of use, which is in fact called "symbolic"[...], "imaginary"» (Carmagnola, 2009, p. 34).
This, then, is invention as the fruit of ingenuity and the imagination, and not as a "muscular" display of innovative technologies, of use more for simplifying realization processes than for creating new languages. If it is in fact true that "anyone" can use a 3D printer and instantly see his or her own idea take material shape, it is also true that the consequent reduction of the time between the two phases to zero proposes an intuitive leap that tends to exclude the variety not only of materials and tools, but also of the established techniques and traditions, which gives us cause to reflect. A possible road to travel may therefore be to reaffirm a more humanistic and less technocratic dimension of our inventive capacity, and, without denying the potentials offered by innovations, to reconsider *humanitas* by reiterating, while conscious of our own level of knowledge, the historical moment we are experiencing, in the awareness that we can start again from here to configure a new humanism.

It therefore seemed interesting to us to reread and classify some of the most interesting cases in which design was resolved in invention, in order to better understand its various nuances and range in terms of produced innovation.

Invention as technology and design transfer

The concept of technology transfer is proposed as a strategy for innovation that "borrows" technologies and materials already known in other productive sectors through a shift of field, and gives them new currency by making them available in new applications. It follows that even a non-new material, for example, can be used to create innovation in a particularly creative way, by connecting professions and experiences and broadening the field of knowledge in a wholly cross-cutting fashion, on ground fertile for developing new design and production strategies.

Design history has many successful cases of technology transfer; one need merely consider the introduction of polyurethane foam in the furniture sector[9], which Busnelli (C&B Italia, Cassina&Busnelli) tells of having intuited by watching a rubber duck floating, and then using this material[10] in Gaetano Pesce's "Up" series. In implementing this particular technology transfer, the intrinsic qualities of the material and of the realization processes were exalted, such as, for example, the possibility of integral finish (self-skinning), and that of eliminating any support framework by using large volumes and thicknesses of polyurethane foam. The same holds true for the use of aerogel which, being 99% air and 1% silica, is considered one of the world's lightest materials: used initially in the aerospace industry where it was employed by NASA to capture space dust in orbit, it transitioned to high-performance use, first in the construction industry as the insulating core in double-wall or double-paned structures in the form of granules, and later in technical garments, providing the padding in thin and highly insulating windbreakers for Antarctic expeditions.

Invention and spontaneous design

In the case of invention that may be attributed to the category we have named "spontaneous design", the design process can also be entirely instinctive – developed for successive phases and focusing on the physical realization of an artefact able to solve a specific problem (also by starting from already-given elements or, in a kind of ready-made process, by re-composing and using its parts to produce a new artefact); customarily, the process may be structured as a model and type.

Many of the "ingenious" objects we use every day, and that we commonly understand as the result of "anonymous design" belong to this group. These are artefacts about which we know neither the designer nor the company of reference, but that appear to us as the clear outcome of a design process, also spontaneous, that results in an invention without neglecting its formal quality.

In this case, too, we are dealing with objects that are useful and "simplex"[11] in form and function, which time often deposits into archetypes of design or aesthetic artefacts that are the "result of a functional, technical, typological, formal, or other kind of idea – linked in different ways to a need, a clientele, or the market; it is a matter of preparing their characteristics in relation to possibilities and economies of production, distribution, and communication". (Bassi, 2011)

It is to these objects that Bruno Munari dedicates *Compasso d'Oro a Ignoti*, publishing in "Ottagono" no. 27 of 1972 and *Abitare* no. 545 of 1975 his search for well-designed[12] and well-sold objects, even if they are anonymous, including the spinning top, the mezzaluna, the artist's easel, the umbrella, the Neapolitan coffee pot, the soccer ball, and much else. All these inventions were born under the inspiration of spontaneous design.
Finessi, in the catalogue for the Triennale's Design Museum 2014 exhibition titled "Il Design italiano dopo la crisi", terms this "low-cost design", casting light on the interesting work done by Daniele Pario Perra, the result of "endless research between popular knowledge and extemporaneous solution, which yields a story of objects that are full-blown inventions, without necessarily aesthetic value, but always with a high degree of usefulness" (Finessi, 2014). Perra lists some interesting – and no fewer than seven thousand – examples in this category, including anti-scalding knobs made with corks; a rain protection system to collect fine dust, made with a funnel; chopsticks with hinge and spring; and a table salt and pepper set made using rolls of photo film.
The fishing net is certainly an emblematic example that fully belongs to this category. Created in prehistory (the Neolithic), it was initially made using "heaped-up" branches barring the passage of fish, and only later was made initially using tangles of branches or tree bark, and then mats of plant fibres, such as wicker, string, and nylon, and by trying out "weaves" that could be wide- or fine-mesh. Weights of various kinds (shards of broken amphorae, or scrap material of other kinds), shapes (lenticular pyramid, with one and two holes), and materials (stone, terracotta, lead) were attached to these matted structures. These were all elements that experience had shown as indispensable for keeping the net taut, thus allowing it to lie at the bottom and keep fish from getting away.
This invention, born from a need and from direct observation of what took place in nature (branches gradually trapping fish on river bottoms as the bottoms dried out during dry periods), evolved over the centuries to our own days, as it differentiated itself by type of catch (trawling, the *tonnarella*) and type of fishing (purse seining, trawl nets, special nets, gillnetting, drift netting). It then developed into knot-less industrial nets, made using materials like polyester or dyneema, respectively guaranteeing lesser water absorption (which makes the net lighter), as well as greater resistance, which is indispensable for withstanding very high breaking loads while reducing weight and volume. At any rate, Munari again, in his presentation to 1944's *Catalogo Illustrato dell'Umorismo*, dwelled on the bizarre and interesting waste that the sea leaves on the shore, concluding some years later that one could imagine "the sea as artisan" (Munari, *Il mare come artigiano*, 1995).
Another interesting example is the deckchair, consisting of an articulated frame whose structure is normally made of beechwood to which a fabric seat/backrest is anchored. The structure – which may be easily assembled and disassembled with no

screws or joints – allows the deckchair to be easily folded for stowage in very restricted spaces (only 4 cm) when not in use.
The deckchair as we know it today appeared at the turn of the twentieth century, most likely inspired by the long chair – or *chaise longue* – that existed since the times of Ancient Greece, and saw a certain amount of attention and evolution over the centuries.
This version of the deckchair immediately found widespread use at beaches and resorts, becoming the symbol of summer life by the sea. The deckchair, whose patent was filed in 1957 with the name "Sedia Delizia", had a variety of accessories, like a backrest (reclinable in several positions), arms, footrest, and sunshade.
In the 1990s, wood – generally treated with impregnating resins to prevent the aging caused by sea brine, and held together with bicomponent glue – was joined, and then gradually nearly entirely replaced, by plastic and above all aluminium structures, thereby transforming this item of furniture into a high-performance, ultralight, and ultra-accessorized artefact. A prime example is the "deluxe Rimini" deckchair, designed in 2016 by Paola Navone for Baxter, made of acidified copper enriched with a cushioned headrest, and luxuriously trimmed with decorative leather tassels; another is the "J.J." – a small, interior armchair inspired by the deckchair, with a structure in steel rods supporting a highly refined wooden frame, offering us a cultured reinterpretation of this great classic by Antonio Citterio for B&B Italia.

Invention and design "by accident" or "by error"
Soichiro Honda, founder of the eponymous Japanese corporate giant, said that "success is 99% failure"; if this is indeed the case, one may rightly wonder where that 99% ends up, and what design can draw from "non-success".
Unforeseen, uncontrolled variables have in fact always been an integral part of innovative processes, suggesting that intent and "risk" coexist (Pizzocaro, 2004, p. 83). Precisely for this reason, failure may be understood as the key for investigating the normally hidden paths of design, and for highlighting all those course corrections or errors that we normally tend to censor, but that generate innovation all the same. In fact, many inventions are born from errors or random events that are transformed into discoveries that have changed our daily life. The circumstances in which the "Post-it®" was invented in 1968 provide a well-known example. Silver Spencer, a researcher at the historic United States company 3M, was actually looking for a new super-powerful adhesive when he accidentally invented a no-tack, reusable, and perfectly transparent one instead. This adhesive component could stick to any surface. In spite of this, Spencer, finding no use for this glue, considered it a failure and set the invention aside; it was a colleague, Arthur Fry, in 1974, who, while looking at a hymnal used in his church chorus, came up with the idea of using this adhesive for bookmarks. Originally conceived as yellow and square, with sides measuring 7.6 cm, the "Post-it®" is now made in no fewer than 8 sizes, 25 shapes, and 62 colours – a striking example of how, born by error, it has become a highly widespread item.

The same may be said for Velcro (the name being a combination of *velour* and *crochet*), invented by pure accident by Swiss engineer Georges de Mestral who, in 1941, noted the burrs of plant material adhering to his clothing and to his dog's fur. This was the reproductive method for certain plants, whose seeds hooked onto animal fur to be carried and spread; Mestral had the idea of replicating this form artificially. At the start, the idea of making it into a fabric that could come apart and reattach, again and again, nearly ad infinitum, was unsuccessful. But in 1960, NASA chose it as the solution for anchoring objects in zero gravity, and since then we have never stopped using it. Other examples of flops and uncompleted efforts by great designers, showed in the exhibition curated by Raumplan and ACCC titled "Failures. Process beyond Success" in 2016, celebrate error[13] as a source of innovation, reaffirming that it is in the process that designers and producers quite often create true added value and innovation. It is a way of saying that doing is making. So we have the chairs by Marco Zanuso and Richard Sapper, whose success was determined by their stackability, a quality that designers had considered as implicit and a bit taken for granted; or the failures of Aldo Rossi, Sottsass, and Mendini with Alessi: respectively a chair, goblets for hotels, and a vase, which remained prototypes but whose value lies precisely in experimentation and in the innovative process. And, from certain standpoints, there is also the case of the Philippe Starck lemon squeezer – an utter failure in functional terms but, unexpectedly perhaps even for its creator, immeasurable from the semiotic perspective.

Invention and "plus-functional" design

The invention that generates forms without paradigm, and thus with no typology or model of reference, has been recounted here as the "plus-functional" category. This is to be understood as establishing an equivalent of what in language we call "syntactic neologism", to identify those inventions – and those phenomena, discoveries, and developments – that incorporate several functions into one, giving rise to objects often original and neutral in form, that interpret contemporary life in the possible relationship between expressed and unexpressed needs, and between evident and latent utility, in the same way as occurs when a new word expresses two or more meanings. This takes place in the invention of artefacts that lend themselves to carrying out several functions resolved until then by several objects, such as for example the case of the Swiss Army Knife, a multi-function tool par excellence, conceived in 1891 by Victorinox founder Karl Elsener to meet the needs of soldiers in the Swiss Army. In "sharing" several functions, the artefact takes on new formal, material, and semantic configurations, which have no references to types or models, but respond in a tangible way to new needs that, over time, will become "type-needs, passing through type-functions, then becoming type-objects" (Cristallo, 2015). A striking example of this paradigm-less "assembly" of functions is, for example, the smartphone, which now allows us, among other things, to make phone calls and take pictures, while no longer resembling any of its predecessors (no telephone receiver, and no camera).

Autarchic invention and design

The choice has been made to dedicate this category to "autarchic design", by virtue of that particular condition that is manifested in certain historical periods where absence becomes a resource; this spurs creative opportunities, as well recounted by the 2014 exhibition curated by Beppe Finessi for the Design Museum at Triennale di Milano. In the interpretation given by the exhibition curator, it appeared clear that "Italian design, right from the beginning, knew how to make lemons out of lemonade: in 1935, when the materials and techniques of our tradition were rediscovered – and new "fanciful" ones actually created – as a consequence of the economic sanctions imposed on Italy by the United Nations; when, during the oil crisis of the 1970s, new languages were tried out to respond to the dearth of resources; and today, when, in a setting of crisis of the productive model pursued in decades past, the impetus runs towards rediscovering not only self-production, but also specific features and local traditions as well.

These inventions are unique or reproducible, like Renato Vengoni's "bisiluro", and Bruno Munari's sunglasses; but they are also new and interesting applications of local, available materials, from white metals to linoleum and safety glass (Bernardini & Dal Falco, 1992), «tempered and layered, which used river sand and clay sand, and reconstituted wooden scraps originating from the sawmills of the Alpine valleys», (Dal Falco, 2014), bearing witness to an aesthetics of transparency.

[1] "Genius is one percent inspiration, ninety-nine percent perspiration", oral declaration from about 1903, reported in Harper's Magazine in September 1932.

[2] This is randomness, or the luck of making fortunate discoveries by pure chance, and also the finding of something unexpected and unsought when seeking another.

[3] The Austrian Joseph Alois Schumpeter (1883–1950) was one of the twentieth-century's greatest economists. As early as 1911, Schumpeter introduced the fundamental difference between invention, which does not necessarily involve bringing a new product or process onto the market, and innovation.

[4] The OECD (Organisation for Economic Co-operation and Development) and the European Commission in the Oslo Manual, containing guidelines for collecting and interpreting technological innovation data, provide the following definition of innovation: "the implementation of a new or significantly improved product (good or service), or process, a new marketing method, or a new organisational method in business practices, workplace organisation or external relations". See Oslo Manual, *Guidelines for collecting and interpreting innovation data*, Third Edition, 2005.

[5] The phenomenologist Enzo Paci (1911-1976) introduced, for the first time in Italy, semiotic themes with reference to design at Congresso Internazionale dell'Industrial Design, 1954 Triennale di Milano, whose Executive Committee he chaired.

[6] Unlike induction and deduction, abduction is an inference that always arrives at a possible but not certain conclusion: it arrives at a "maybe".

[7] In *The Shape of Time: Remarks on the History of Things*, Kubler recounts – as an "anthropology of techniques" – the "process that continually transforms human sensorial capacities and knowledge through ongoing discovery".

[8] Similarly, (1936) Benjamin already assigned to art a role of sensitive prefiguration of the future and, vice versa, to technology the ability to make utopian aspiration operative once innovation has introduced new conditions.

[9] Created in Germany in the early 1940s, the first polyester-based polyurethane foam found immediate use in the construction industry where, thanks to its fluidity when put in place, was well suited for plugging the natural cavities caused by traditional materials, thus helping to insulate the structures.

[10] In collaboration with Bayer.

[11] Simplexity, a neologism formed by fusing Simple and Complexity. Proposed for the first time in the 1950s and relaunched in the scientific community in 1990 by Alain Berthoz, professor of physiology of perception and action at Collège de France, it describes the ability to see a complex system in a simple way. See also Lucibello, S. (2014). *Semplessità nel design*. In Smart design, *diid* n°58. Roma: Rdesignpress.

[12] Jasper Morrison and Naoto Fukasawa identify the objects in their Super Normal exhibition in which, alongside some clean and essential designs, belonging to them or to colleagues, selected the Bic pen, the paperclip, and paper lamps.

[13] In scientific research, one proceeds by trial and error.

References

> Ashby, W. R. (1956). *An Introduction to Cybernetics.* Londra: Chapman & Hall.
> Bassi, A. (2007). *Design anonimo in Italia. Oggetti comuni e progetto incognito.* Milano: MondadoriElecta.
> Bassi, A. (2011, 7 febbraio). *Design anonimo ad Osaka.* Retrieved from www.albertobassi.it, § 2. Archivio 2011.
> Baudrillard, J. (1968). *Le système des objets.* Paris: Gallimard.
> Benlamin W. (1936), *L'opera d'arte nell'epoca della sua riproducibilità tecnica.* Torino: Einaudi (Edizione italiana 2000).
Bernardini, V., & Dal Falco, F. (1992, march-june). Manualistica: Architetture moderne. Tecniche, materiali, criteri progettuali. *AU Tecnologie, 8-9,* 105-134.
> Branzi, A.(1988). Il paradosso italiano. In *Pomeriggi alla media industria, Design e Seconda Modernità.* Milano: Idea Books.
> Carmagnola, F. (2009). *La fabbrica del desiderio. Il design nell'economia dell'immaginario.* Lupetti: Milano.
> Cristallo, V. (2015). *Le regole elementari del Design di Le Corbusier. diid - disegno industriale industrial design, n. 60.* Roma: Rdesignpress.
> Dal Falco, F. (2014, november). Autarchia, cultura del prodotto razionalista, industria e artigianato, materiali e tipi autarchici. *AIS/Design Storia e Ricerche, n. 4.*
> Kubler, G. (2002). *La forma del tempo.* Torino: Einaudi (original edition The Shape of Time: Remarks on the History of Things. USA: Yale University Press, 1962).
> Finessi, B. (2014). *TDM7: Il design italiano oltre le crisi. Autarchia, austerità, autoproduzione.* Mantova: Corraini.
> Giedion, S. (1967). *L'era della meccanizzazione.* Feltrinelli: Milano (original edition Mechanization Takes Command, Oxford University Press, London 1948).
> Lucibello, S. (2014). Semplessità nel design. *diid - disegno industriale industrial design, n.58* (Smart design). Roma: Rdesignpress.
> Lucibello, S., & La Rocca, F. (2014). Innovazione e utopia nel design italiano. *Comunicare il design italiano. Innovazione per cultura* (Collana). Roma: Rdesignpress.
> Munari, B. (1944). *Catalogo*
> Munari, B. (1972; 1975). Ricerca di oggetti ben progettati e ben venduti anche se non firmati. In *Ottagono*, n. 27; *Abitare*, n. 545.
> Munari, B. (1995). *Il mare come Artigiano.* Mantova: Corraini.
> Pizzocaro, S. (2004). Design e complessità. In E., Manzini & P., Bertola (eds.). *Design multiverso. Appunti di fenomenologia del design.* Milano: Polidesign.
> Rosanoff, M. A. (1932, Settembre). Edison in his laboratory. *Harper's Magazine*, 402-417.
> Zingale, S. (2012). *Interpretazione e progetto. Semiotica dell'inventiva.* Milano: Franco Angeli Editore.

Design between invention, interpretation, translation

The project activity requires at the same time creativity, interpretation and cultural mediation. In fact, the design is a research process aimed at innovation, to the production of something new and useful, but it is also an hermeneutic process, called to give meaning to things it conceives and develops and to express a point of view on the world; it also has the aim of translating the results of its action into positive social or individual effects, into the improvement of quality of life, mediating between different questions, interests, needs that emerge from socio-cultural and economic-productive context in which it operates.
This paper analyses the definitions of design as a process of invention, of interpretation and of translation or cultural mediation, with the goal of bringing out the specificities of the design process and the skills of the designer in relation to other disciplinary and professional fields, in which inventing, interpreting and translating are equally important activities. For a designer the process of invention is something different from that of an engineer or technologist; interpretation is a very different activity for him compared to the one of a scholar of Greek language, of an archaeologist or of a philologist and the same can be said for the process of cultural mediation that the designer must carry out in order to translate his ideas into artifacts useful, accessible and appreciable, compared to that of a translator of books or poems from one language to another.
Inventing, interpreting, and translating are three aspects that are present in the design activity, and are characterised, in this case, by their fundamental contribution to the process of transformation and innovation, sometimes radical, of the artificial environment in which we live and with which, and in which, we develop relationships. This process of transformation, that the design is committed to generating, often produces and underlies a socio-cultural change, as design is an activity of "projective abduction" that, in prefiguring possible solutions to a problem, hypothesises also the potential effects and consequences.

[invention, interpretation, projective abduction, translation, cultural mediation]

Lucia Pietroni

Full Professor, Università di Camerino
> lucia.pietroni@unicam.it

Design as a process of invention

Invention does not coincide with the scientific discovery, which "unveils something that was not known before", but from it can take inspiration and start from it. The discovery is usually casual, the invention is designed, intentional. The invention is an idea, a device, a product that introduces a radical change in the social and cultural context in which it is generated and applied. The term "invention" derives from the Latin word "inventio" which means, first of all, "the finding", from "to discover" or "to come to know", "finding by searching", "to find", that is to discover the potential elements that can give form to an idea or a project until that moment unpublished.

In the invention there is the concept of "totally new" that relates to a process of research, to the intentionality to know, but also to the idea of something that owes its novelty to the overcoming of the "known", to the break with what was there before, and to the comparison with the solutions previously proposed to solve similar problems.

Therefore, the inventive process requires awareness and knowledge of existing concepts and methods that can be modified, recombined, re-contextualized and transformed into something totally new. "Finding something" presupposes that that something already exists, as Johann Heinrich Füssli stated at the beginning of the nineteenth century in "Lecture on Painting":

the term invention should never be misunderstood with the term creation [...] Inventing is finding: finding something presupposes its existence somewhere, implicit or explicit, dispersed in a mass [...] the invention discovers, chooses and combines the possible, the probable and the known in a way that strikes for its air of truth and of novelty together . (Lischi, 2004, p. 37)

And, as highlighted by Annamaria Testa (2005), also Henri Poincaré in 1908, in his book "Science and Method", described inventiveness as the "ability to unite existing elements in new combinations, which are useful" and argued that «inventing means discerning and choosing between the possible combinations and not building useless ones, but only those that are useful and fruitful».

In fact, very often, an invention is an innovative and original solution to a technical problem, which may concern a product or artefact, a process, a method, and which is generated by a new way of conceiving, combining, selecting and connecting possibilities and techniques available although not yet used in this way.

«The inventive activity is expressed precisely in the ability of relocating in other systems of reference, provided constraints, thus producing the new, ie what, until that moment, was and could appear unthinkable», as Ezio Manzini wrote in 1986 in "La materia dell'invenzione". At the basis of the invention there is a different mental connection with respect to what until then was given and known, which gives rise to new hypotheses and new possibilities to be verified. The inventive process then , as a generator of new hypotheses of possible solutions, is an integral part of the design activity, as, as Ezio Manzini argues, «thinking the possible forms the basis of every project activity» (Manzini, 1986).

Moreover, as Füssli also claimed, an invention does not always lead to a new creation or production, ie it is not always applied, diffused and made usable in the social environment in which it was conceived. In fact, an invention is always a progress from the cognitive point of view, but it is not said that it is immediately useful or for everyone, or it is not said that it produces innovation. In general, between the birth of an idea or a prototype of invention and its social and commercial diffusion there is always a temporal gap and sometimes the invention does neither find diffusion nor produce innovative effects in the social context and cultural background in which it was generated.
As highlighted by some scholars of innovation processes (Rampino, 2012; Baglietto, 2007), economist Joseph Schumpeter also clearly distinguished innovation from invention, deeming them to be too often confused and overlapping categories. According to Schumpeter, not all inventions become innovations and not all innovations derive from inventions. In fact, a patent is an invention, but if it does not find a real application and does not reach the market, it can not be called innovation; just as there can be a process of innovation without it being generated by an inventive act. An invention is only potentially useful from a socio-economic point of view, while it is certainly useful as an advancement of scientific and technical knowledge. In this regard, Patrice Flichy recalls, in his book "Technological innovation" (1996), that Marc Bloch claimed that «Invention is not everything. It is necessary that the community accepts it and propagates» it and that, in a similar position, Fernand Braudel believed that «an innovation has meaning only in relation to the social thrust that sustains and imposes it».
Therefore, when through inventive action, a difference and an important change with respect to existing or previous historical and social experience are produced, inventiveness produces innovation.
In fact, as Edoardo Boncinelli writes, «innovation implies transforming the tradition, up to the establishment of a completely new one» and «creativity, understood as the human capacity to innovate by introducing new changes in the current situation that are susceptible to common use, implies confrontation and in some cases breaking with tradition and with the knowledge handed down». Inventiveness or creativity is the ability to produce something innovative that appears either useful or otherwise responsive to a shared need and that obtains consensus from society (Boncinelli, 2008).
Finally, the invention is almost never the result of a single individual, but the result of a complex and collective process that concerns and involves different subjects, knowledge and professionals (technicians, engineers, designers, scientists, professionals in marketing and communication , etc.) that cooperate in a common project. This collective dimension of the inventive process is all the more true today that, with the digital revolution, it is possible to share information and knowledge in real time, to co-design innovations, to co-produce new products, through what some have. defined as "collective intelligence" (Lévy, 1996) or "connective intelligence" (de Kerckhove, 1998).

Therefore, design, as a research process aimed at innovation, also includes the inventive process and the inventive ability is a necessary skill for designers; designing does not coincide with inventing though, or rather it does not coincide with generating inventions that do not also become innovations.

Design as a process of interpretation and prefiguration
Design is an inventive process, but it is also the result of an incessant interpretation activity oriented towards a goal, the result of an interpretative process as an instrument of transformation. Interpretation can be considered in many ways, but, as claimed by Salvatore Zingale,

> it is only if it is meant as a "projective and prefiguration activity" that interpretation can make a contribution to design culture and design, because, in this case, the interpretation arises as a profound knowledge of every problematic reality and as an instrument to "see" its possible overcoming. (Bonfantini & Zingale, 2015, p. 140)

Design is a process of interpretation of what is presented not only as a "hidden sense" to be discovered, but above all as a "possible sense" to be constructed. Interpretation gives meaning to things, but in design it is not enough to give meaning to artifacts; we need to ask ourselves how and what to design and what will happen once things have been designed, ie on which response actions, an artefact will be able to generate, once in the hands of its user. The interpretation must take into account both the effects and the consequences it will produce in the context of use, in society and on people, in the present and in the future. The sense of things is not in the artefact, but in the social praxis that it determines and transforms. Every project act is an open and projective interpretive process, because it is dominated by the idea of "possibility", ie it opens the way to other possible projects. In fact, the designed artefact becomes the bearer of new mental and behavioural patterns that will again influence the sense of things, which will need to be interpreted. «The interpretative process of design and of every project activity is a continuous tension between what is interpreted and what, as a product of interpretation, presents itself as a new program of action» (Bonfantini & Zingale, 2015).
Therefore in design, the future is the object of "prefiguration": arranging things in such a way as to hypothesize what, through them and starting from them, could or should happen. The prefiguration is the mental act that prepares the project. In fact, design influences social behaviours and models and has to do with projects at different levels of human aggregation (individual, group, community, society). Here lies the difference between design and other forms of planning, such as artistic and technological. The aim of design is not the artefact itself, but tather its effects on the lives of its users (Bonfantini *et al.*, 2006).
The project, therefore, is the result of a capacity for interpretation that produces innovative ideas, that is, possible and original solutions to the problems investigated, through

"anomalous associations", ie non-obvious, non-automatic associations. According to Zingale, in fact, «inventiveness goes beyond the obvious and the obvious seeks the hidden connection. The most obvious solution is not said to be the most appropriate». The inventive capacity, understood as an interpretation, is in choosing and combining the possible and the known in a different, new way; it is the art of seeking, of finding and of questioning the possibility in order to give new meaning to things, and meaning is the goal and direction of the inventive process itself. Therefore, design requires the ability to interpret the meaning to be given to what is being designed, because «design wants to respond to a problem, not only by neutralizing it, but also by modifying the conditions that generated it for its own future» (Zingale, 2012).

Moreover, the inventive process, like interpretation and prefiguration of reality, has its own logical form: abduction, which differs from deduction and induction. In particular, the project is the result of a «projective abduction», or a forward movement, towards what may happen. The abduction, already defined by Charles Sanders Peirce in 1868, regulates every form of investigation and understanding of reality; it is the ability to hypothesise possible and plausible scenarios; it is the «tension towards an absent, possible but still to be reached»; it is the leap that allows to move the thought towards new imaginations. Therefore, abduction is that logical mode, neither analytical (deduction) nor synthetic (induction), by which, starting from an object or event, seen and understood as an effect, we are able to go back to its possible cause. This does not happen mechanically though, from the rule to its application, as in the deduction, nor does it proceed by progressive combinations, putting together the observed data in the experience, as in induction: abduction moves by leaps, uses a lateral logical movement to arrive to a hypothesis, to a possibility, which tries to explain an observed fact. Abduction is therefore a hypothetical reasoning, which deviates from the known world and moves towards the new. It is not limited only to unveiling what has been, it manages to represent what it can be, interpreting a future sense. «Abduction can then be considered as an act of prefiguration: it sees the absent possible, shows what is not yet there». (Zingale, 2004). As claimed by Massimo Bonfantini and Giampaolo Proni, abduction, in fact, is a gamble because, although starting from valid premises, the conclusion could be false, but this risk is the price to pay in the face of the strong creative and innovative potential of the abduction. In fact, «the less the abductive conclusion is suggested by the information included in the observed field, the more we can connote it as a new knowledge» (Bonfantini & Proni, 1983). Hence, due to abduction, scientific thought develops, but also the design process and in particular the «projective abduction» produces significant innovations in the project, as, in anticipating possible solutions to a problem, it also hypothesises the potential effects and consequences (Zingale, 2012). Every interpretation of a problem or something unknown, requires abduction, which produces a new idea either through an already available knowledge or by experimenting with a never-before-tested rule. Designing means therefore interpreting and understanding, both the nature of a problem, and the ways and forms to overcome it. Design works in the space between the problem

and the search for the conditions of its overcoming: with the ability to interpret, it explores the field of possibilities and with the ability to translate, it transforms the state of the possible into reality, into artefact, into product (Zingale, 2012).
Therefore, the activity of interpretation and prefiguration is an integral part of every design process and regulates the conception of objects and environments, of social and political models, of ideas of the future. The "projective abduction" is, therefore, a fundamental tool in the design of every designer, in their work of interpretation, projection, prefiguration and translation of meanings in signs, in order to devise possible and innovative solutions and make something present that was previously unthinkable.

Design as a process of translation and cultural mediation

The idea of translation, as a process of decoding and recoding, of interpretation and reinterpretation of the different meanings of a text or of a work of human ingenuity, is also useful to understand the project as a process of cultural approach, of taming the elements of novelty and of cultural mediation. In fact, translation is a bridge between different cultures, and it brings distant cultural worlds closer together.
Similarly, the designer, «whose job consists in transforming cultural trends into economic goods», as Harvey Molotch (2005) argues, is constantly confronted with cultural mediation operations. Designing, as well as translating, is not a passive action, in fact, the proximity between designing and translating lies precisely in the translation process as an "operation of meaning growth", of deformation or reductive selection, of an interpretative choice of the sense of the original work. In this sense, the translation resembles the design process the more it moves away from being simple interpretation. In this sense, the translation is more similar to the design process, the more it moves away from being a simple interpretation.
As stated by Giovanni Baule and Elena Caratti (2016), the discipline of design registers specific affinities with the field, theories and studies on translation and «the act of designing and the act of translating must be identified under a common performative principle».
Translation is a decision-making process, requires choices among the various possible ones, as well as the design process, and the analogies extend as the translation loses the meaning of "literalism", of "translation to the letter".
The more we consider translation as a process of communication between different cultures, and therefore an act of cultural mediation, the more it presents relapses into the sphere of design, which, for the most part, is the design of mediation devices for the interaction between different worlds. «The designer is therefore comparable with the figure of the translator because, through configuration and transfer procedures, he carries out a continuous mediation activity between the context elements and the diversity (geographical, cultural and physical) of the actors involved» (Baule & Caratti, 2016).
Design, like translation, is called, today more than ever, to interpret and organize contents that renew our relationship with things and relationships with and between people.

Translation, as well as design, is a transformative activity aimed at reformulating and transmuting contents to generate new interpretations, simplifications or expressive expansions of the original text in an intercultural dimension.
Furthermore, design can be read with the translation paradigm in all its actions of re-reading, interpretation, understanding, support to produce transformation and social innovation, and also when its goal is to interpret and translate information and data in designing of digital artifacts and interfaces to be used by different users. In design, both in analogue and digital environments, there are more and more operations of translation of starting information, their coding in the form of data and their transmutation into understandable and easy to use interfaces by users of different cultures. The designer, as well as the translator, must represent the border culture being aware of the differences and operate cultural mediation strategies and practices, in order to develop effective and appreciable solutions.
Cultural mediation is achieved through the design of tools that facilitate communication, dialogue and the involvement of several actors. Designing and translating have in common the activity of cultural mediation with the aim of facilitating and making accessibility to content possible. Today the designer needs design skills that enable him to implement translation processes of different codes and registers, cultures and knowledge, languages and information. According to Molotch (2005), designers have the ability to combine different universes, which is why they are facilitators who work through "lateral" knowledge, based on trans-disciplinary, artistic and technical sensitivities together.
Moreover, the form of an artefact, of which design is the architect, is the bearer of aesthetic and symbolic values, also because, the form translates the functions of an object into the language of perceptual expression and is always cultural interpretation. «The form interprets the function», as Rudolph Arhneim states (1977), since the design process requires choices, points of view, and visions of the world that guide the final interpretation of the object. Objects are not just instrumental responses to needs, but devices capable of translating and conveying symbolic, aesthetic and cultural meanings. Their form is influenced by the characteristics of the socio-cultural context in which they are generated.
Therefore, cultural mediation activities are an integral part of the design culture and process, understood both as a process of transformation of the artificial environment and production of new artefacts, and as a process of social innovation.

References

> Arnheim, R. (1977). *Arte e Percezione Visiva*. Milano: Feltrinelli.
> Baglietto, M. (2007). *Persone e innovazione*. Milano: FrancoAngeli.
> Baule, G., & Caratti, E. (2016). *Design è traduzione. Il paradigma traduttivo nella cultura del progetto*. Milano: FrancoAngeli.
> Boncinelli, E. (2008). *Come nascono le idee*. Roma-Bari: Laterza.
> Bonfantini, M., & Proni, G. (1983, january-april). L'abduzione. *Versus, n. 34*, 1-3. Bologna: Il Mulino.
> Bonfantini, M., e al. (2006). *L'inventiva. Psòmega vent'anni dopo*. Bergamo: Moretti&Vitali.
> Bonfantini, M., & Zingale S. (2015). *L'oggetto del progetto. Saggi, dialoghi e lezioni di semiotica intorno al design e all'inventiva progettuale*. Brescia: ATì Editore.
> de Kerckhove, D. (1998). *Connected Intelligence: The Arrival of the Web Society*. London: Kogan page Ltd.
> Flichy, P. (1996). *L'innovazione tecnologica. Le teorie dell'innovazione di fronte alla rivoluzione digitale*. Milano: Feltrinelli.
> Füssli, J. (2004). L'invenzione. In P. Lischi. *Tesserete*. Chieti: Pagine d'Arte.
> Garroni, E. (2010). *Creatività*, Macerata: Quodlibet.
> Johnson, S. (2011). *Dove nascono le grandi idee. Storia naturale dell'innovazione*. Milano: Bur.
> Legrenzi, P. (2010). *Creatività e innovazione*. Bologna: Il Mulino.
> Lévy, P. (1996). *L'intelligenza collettiva: per un'antropologia del cyberspazio*. Milano: Feltrinelli.
> Manzini, E. (1986). *La materia dell'invenzione*. Milano: Arcadia Edizioni.
> Molotch, H. (2005). *Fenomenologia del tostapane. Come gli oggetti quotidiani diventano quello che sono*. Milano: Raffaello Cortina Editore.
> Peirce, C. S. (1868). Some consequences of four incapacities. *Journal of Speculative Philosophy*, n. 2, 140-157.
> Rampino, L. (2012). *Dare forma e senso ai prodotti. Il contributo del design ai processi di innovazione*. Milano: FrancoAngeli.
> Testa, A. (2005). *La creatività a più voci*. Roma-Bari: Laterza.
> Zingale, S. (2004). Immagini e modelli per l'invenzione. In M. A. Bonfantini & M. T. Terenzi. *Come inventare e progettare alla maniera di Poe*. Bergamo: Moretti Honegger.
> Zingale, S. (2012). *Interpretazione e progetto. Semiotica dell'inventiva*. Milano: Franco Angeli.

Futurecraft: Design as Mutagen and Inventor[1]

Following in the footsteps of Herbert Simon and Buckminster Fuller, in this paper we propose an evolutionary conception of design, in which design ideas function like "mutagens" that interact with the human environment and succeed and fail based on a process similar to natural selection. Yet, unlike the randomness that drives the creation of mutagens in biological evolution, here it is invention that does this work – as such, the role of the "designer-inventor" is given essential value. This paper develops these evolutionary ideas on design by defining a new term for such an approach: futurecraft. Futurecraft describes a collaborative and incremental methodology – one that necessitates feedback loops that take the public's needs and desires into account to make the next step in the design process. Futurecraft imagines that designers can directly propose change, not by imposing it, but by putting forth alternate possibilities to test them directly with citizens. After defining futurecraft, we show its potential for urban transformation through a project carried out by the Senseable City Lab at the Massachusetts Institute of Technology. Trash Track articulated a new relationship between the "designer-inventor" and the public, defined through a speculative design based on practical interventions that could be tested among and commented on by a public. Its context was the waste disposal system, but the "designer-inventor", optimistic of the potential of ideas to spark discussion and change, can apply futurecraft to a number of key sectors, from transportation to energy or architecture. Through the methodology we outline in this paper, the "designer-inventor" sees the city of tomorrow as a potential reality to create along with citizens.

[futurecraft, mutagen, leapfrogging, speculative design, bottom-up]

Carlo Ratti

Professor of Urban Technologies and Plannig and Director,
SENSEable City Lab - Massachusetts Institute of Technology, Boston
> info@carloratti.com

Paleofutures

On December 24, 1900, the Boston Globe ran a piece imagining what Boston would look like at the turn of the millennium. The lavishly illustrated article by Thomas F. Anderson painted an elaborate vision of a city with moving sidewalks, airships soaring high above the streets, and pneumatic tube delivery of everything from newspapers to food. The author's predictions were sweeping and optimistic: Boston would be so beautiful that the word "slum" would be eliminated from the city's vernacular. Such descriptions – in retrospect – seem almost comical, yet our efforts to glimpse the future continue to bring us to similar scenarios. A vibrant thread in fiction and film, speculations have become a genre in their own right, encompassing, as a common trope, the future of the city. Notions vary widely, from H. G. Wells' grim dystopias to Fritz Lang's "Metropolis" or the pseudo-police state of "The Minority Report". Regardless of the time and medium, however, "nothing ever looks as dated as old science fiction", as Tim Harford wrote in *The Financial Times*. Futures quickly become paleofutures: early speculations about futures that will never come to pass.

In the midst of a sprawling graveyard of ideas, any exercise that contends with the future is vexed with a crucial question: Is it possible for any prediction to escape the fate of Anderson's? How can one avoid the scrap heap of urban visions? More specifically, does the act of considering the future – in this case, the future of the city – have inherent and productive value?

Traditionally, most future visions, whether in fiction, film or industry, have been attempts to accurately depict the world of tomorrow, and that may be their undoing. Prediction often involves assaying weak signals at the cutting edge of the contemporary world and flinging them far forward, for decades or centuries, to arrive at a portrait of the future city. To Anderson, writing in the year 1900, soon after the dazzling introduction of zeppelin travel and pneumatic technology, it seemed all but assured that these advances would define urban development over the course of the next hundred years. The state of the art stirred his imagination and defined his portrait of millennial Boston. Yet, perhaps computer scientist Alan Kay was right – actually, "the best way to predict the future is to invent it". Indeed, taking from this idea, here we propose something quite different: to employ design in a systematic exploration and germination of possible futures. Our aim is not to portray what is to come, but to apply a new method, which we call futurecraft. Futurecraft involves positing future scenarios (typically phrased as "What if?" questions), entertaining their consequences and exigencies, and sharing the resulting ideas widely, to enable public conversation and debate. In other terms, we propose to extrapolate from the present condition and to place ourselves, as designers, in a fictive but possible future context with the intent of realizing, or precluding, that future through open discourse. It is this, finally, that futurecraft aims to accomplish: pluralizing the authorship of urban futures by merging designers with the public, and, in doing so, empowering the communities, users and urban actors who animate the city.

Futurecraft

This concept, primarily developed in the course of research carried out at the Massachusetts Institute of Technology's Senseable City Lab, has antecedents. Recently, Anthony Dunne and Fiona Raby at the Royal College of Art in London proposed "speculative design", a process that acts as a "catalyst for collectively redefining our relationship to reality" and considering how things could be. An earlier framework, Comprehensive Anticipatory Design Science (CADS) proposed by the iconic inventor Buckminster Fuller, uses a systematic approach to design that he developed in a class at MIT in 1956. Fuller was motivated, in his work, by a general belief that design, speculation, and science go hand in hand:

The function of what I call design science is to solve problems by introducing into the environment new artifacts, the availability of which will induce their spontaneous employment by humans and thus, coincidentally, cause humans to abandon their previous problem-producing behaviors and devices.

Buckminster Fuller's statement suggests a latent evolutionary concept. As technical culture progresses, objects are produced and iteratively refined through design – an act that introduces mutations to improve a function or enable a new capability. On a broad scale, these mutations collectively promote change and development, each new instance being a potential improvement and innovation. In a seminal 1863 text, "Darwin among the Machines", writer Samuel Butler proposed an evolutionary analogy for technology: replacing organisms with artifacts and classifying the synthetic kingdom into genera and species. Variations of this concept have recurred both in theory and in practice. If we accept this evolutionary framework, a central question emerges: How can the designer accelerate positive technological change? If a designer is someone with the ability and the mandate to create new, different (and better) things – to continue the biological analogy – his crucial role may be to generate anomalies. The designer could become what, in biology, is referred to as a mutagen – an agent of mutation. Although mutations in the natural world are random, the designer has a knowledge and skillset to produce targeted, specific mutations: she can direct the evolutionary process and influence it in order to achieve a certain result. Yet her role as inventor is not final or conclusive; it is proactive. This activity, we argue, should be thought of as futurecraft.
The objective of futurecraft is neither to fix the present, which is an overwhelming task, nor to predict the future, which is a disappointingly futile

activity, but to positively influence development. It is important to stress that designers should not force their ideas onto the world, and, in fact, it is largely irrelevant whether or not an idea is realized. By virtue of being stated, explored, and debated, we believe, a concept will necessarily make an impact. A designer may work to create an adverse vision that warns of a possible future to come – and, in so doing, steer subsequent decision-making away from that outcome. Provocation is often a better metric than certainty, for both positive and negative ideas. Therefore, shying away from a dystopian project for the sake of decency is a disservice, for in effect it precludes the possibility of avoiding that future.

Methodologically, futurecraft dissolves prediction anxiety and opens up new avenues of research. In being a method, futurecraft is not responsible for delivering products and systems. Designers, however, should not peddle only abstract ideas, as tangible demonstrations are essential in promoting general discussion. At the urban scale, such demonstrations enable interaction with people, or future users, and can more easily spark development. The process can function like natural selection in biology, with specific mutations being tested in urban space and then subjected to public debate. Eventually, the public will steer broader technological development toward the most desirable future.

Cities, by definition, are plural, public, and productive. They are created by society itself (barring exceptional cases like master-planned Brasília or Chandigarh), and they function as culture's petri dish for progress. Living in space and creating space can go hand in hand. "To achieve change", in the words of Dunne and Raby,(2013) «it is necessary to unlock people's imaginations and apply it to all areas of life at a microscale. Critical design, by generating alternatives, can help people construct compasses rather than maps for navigating new sets of values».

The work we do is meaningless unless it ignites imaginations and provokes debate, and design by mutation is intrinsically collective. Designers produce mutations, some of which will grow, evolve, and develop into tangible artifacts that can cause global change, driven to realization by the energy of the crowd. This process depends on channels for disseminating information from the designers to citizens, such as media, museums, exhibitions, publications. This process is not limited to areas traditionally identified as leaders of technological progress. Considering new ideas at the cutting edge, every original concept, almost by definition, begins at a certain place and time before spreading broadly. Particularly in contexts without similar pre-existing technologies, this dissemination can cause a "leapfrogging" effect. One example is the widespread use of mobile payments in China – last year, 50 times more money was spent through mobile platforms there than in the United States. For many years before that, however, it was thought that credit cards would never take off in China, and that, indeed, the country was lagging behind with its fixation on cash payment. Yet, what ultimately happened was that China leapfrogged ahead to an efficient mobile payment system – new technologies did not result in China becoming two steps behind, but rather in it jumping ahead and beginning to use the new technologies in even more innovative ways. Similarly, countries without a hard-wired telecommunications infrastructure could leap directly to the latest technology, bypassing interim stages. In this way, the developing world may be one of the most fertile grounds for futurecraft.

Urban Transformation

The method and the function of futurecraft are best shown through concrete examples. Trash Track was a 2009 project by the Senseable City Lab that imagined a future scenario in which geo-locating devices had become so small and inexpensive that almost everything could be tagged. Into that scenario, researchers proposed a design, trash that wirelessly reported its GPS location, and created a full-scale urban demonstration to test it. With the help of hundreds of citizen volunteers, the team deployed thousands of tags into Seattle's waste management system and watched as the tags traced waste movement across the United States. A set of visualizations and videos revealed the inefficiencies of the disposal chain, and were subsequently communicated widely through exhibitions, news, and other media. Afterwards, discussion and debate managed to lead to systemic improvements by waste management companies, to inspire startups that produce trash trackers, and to document behavioral change in citizens who were inspired to reduce their waste and recycle. Trash Track exemplified a new relationship between designers and the public, demonstrating the power of futurecraft to shape urban development. We believe that it is a fundamental responsibility of design to challenge the status quo, to introduce new possibilities, to materialize aberrations, and ultimately to pave the way for the public to bring about a desirable future. Herbert Simon, echoing Albert Einstein, wrote that «sciences are concerned with how things are [...] design on the other hand is concerned with how things ought to be».

A concern with how things ought to be encompasses a variety of "designerly" endeavors, everything from aesthetic gloss to problem solving. Many roles within this spectrum can serve a valuable purpose. Aesthetics are crucial to marketability, and a problem-solving mentality can identify areas that are lacking and then generate improvements – yet futurecraft is far removed from both these approaches. It is situated one step in the future, focused more on what could be than what is. Its starting point for the design process is a plausible future condition, into which one can propose ideas. We echo Cedric Price in his provocation to the architecture profession, as we believe that design

should represent a shift in methods and goals: «Like medicine, [design] must move from the curative to the preventive. Our playing field is tomorrow».
A designer is, we believe, inherently optimistic that ideas in themselves can be catalysts for positive change. However, the framework of willful synthetic evolution hinges on an explicit and defined relationship to the future, structured by four core ideas: that the articulation of future conditions is a hypothetical tool; that future-casting is only one part of the enterprise meant to enable and provoke design; that possible futures are rooted in the present and not in distant, idealized, extraordinary, or digressive visions, which means the need to balance provocation with strong ties to the world-as-is; and finally, that whether or not the imagined scenarios come to pass is irrelevant. We are well aware that, in all likelihood, the future will look different from our "what-if" snapshots, but designing in a projected situation can nonetheless guide us toward a(nother) possible and desirable future.
The downfall of Anderson's vision for Boston in 2000 was a disjunction between time frame and reality. In his time, moving sidewalks seemed quite probable one hundred years in the future, but over the course of the twentieth century technological evolution branched in wildly different directions. Anderson imagined moving sidewalks; he could not have imagined Uber. The aim of futurecraft is to maximize impact by aligning its scope with its reach. In order to do so, we can start by considering some of the key forces at play in the city today – from energy to building, from transportation to knowledge-sharing. Each of these ultimately weaves into a tapestry of citizen empowerment, suggesting the possibility of human participation in operating (and even hacking) the city. Across domains, the future city must grow from a symbiosis between design and the public. Where these worlds intersect, we can collectively imagine, examine, choose, and create the most desirable future.
«The universe of possible worlds is constantly expanding and diversifying», wrote Lubomír Doležel in *Heterocosmica*, (1998) «thanks to the incessant world-constructing activity of human minds and hands [...] the most active experimental laboratory of the world-constructing enterprise». Top-down frameworks, the kinds of systems in large multinational corporations, are not enough; bottom-up actions are needed to transform urban spaces – for there can be no smart city without smart citizens.
As the city becomes a forum for action and reaction, the playing field of urban innovation will continue to reach new communities – it can expand in powerful and unpredictable ways. Many of the technologies that are emerging in the developed world are likely to demonstrate their most potent impact in the entirely different contexts of emerging economies – where a myriad of challenges brought by urbanization will be decided in the decades to come.
As designers engaged in futurecraft, we aim to spark informed discussions. We do not intend to create an agenda, but rather a framework for actions that

may have a transformative impact on cities worldwide. Design, as an act of futurecraft, can become a mechanism for crowdsourcing the future – designers produce mutations, and the public engages in debate, selection, variation, and implementation. By soliciting ideas, response, and action from citizens, our hope is that design can move society toward the most desirable outcome, a *futur souhaité*, and allow Kay's iconic adage to ring true: «The best way to predict the future is to invent it».

[1] This text has been adapted from "Futurecraft", by Carlo Ratti and Matthew Claudel.

References

> Anderson, T. F. (1900, Dec. 24th). "Boston at the End of the 20th Century." *Boston Globe*. (***pg number technically needed, but not in bibliography of City of Tomorrow)
> Borak, M. (2017, Aug. 15th). "The rise of China's cashless society: Mobile payment trends in 2017." *Technode*. Retrieved from https://technode.com/2017/08/15/the-rise-of-chinas-cashless-society-mobile-payment-trends-in-2017/.
> Butler, S. (1863, June 13th). "Darwin among the Machines." *The Press*. (***same as above)
> Claudel, M., & Ratti, C. (2016). Futurecraft. In S. Pop, T. Toft, N. Calvillo & M. Wright (eds.), *What Urban Media Art Can Do – Why When Where and How* (pp. 348-354). Stuttgart: avedition GmbH.
> Doležel, L. (1998). *Heterocosmica: Fiction and Possible Worlds*. Baltimore, MD: John Hopkins University Press.
> Dunne, A. and Raby, F. (2013). *Speculative Everything: Design, Fiction, and Social Dreaming*. Cambridge, MA: MIT Press.
> Fuller, R. B. & Kuromiya, K. (1992). *Cosmography: A Posthumous Scenario for the Future of Humanity*. New York: Macmillan.
> Harford, T. (2013, December 5th). How delivery drones could transform the world. *Financial Times*. Retrieved from https://app.ft.com/content/9f5db2c4- 5d12-11e3-a558-00144feabdc0.
> Offenhuber, D., Lee, D., Wolf, M., Girod, L., Boustani, A., Dunham, J., Kloeckl, K., Morello, E., Britter, R. E., Biderman, A. & Ratti, C. (2011). *Urban* Digestive Systems: Towards the Sentient City. In M. Shepard (eds.). *Sentient City: Ubiquitous Computing, Architecture, and the Future of Urban Space*, (pp.90-109). Cambridge. MA: MIT Press.
> Offenhuber, D., Lee, D., Wolf, M., Phithakkitnukoon, S., Biderman, A. & Ratti, C. (2012). Putting Matter in Place: Tradeoffs Between Recycling and Distance in Planning for Waste Disposal. *Journal of the American Planning Association*, 78(2), 137-196.
> Price, C. (1984). *The Square Book*. London: Architectural Association Publications.
> Ratti, C. & Claudel, M. (2015). *Open-Source Architecture*. New York: Thames & Hudson.
> Simon, H. (1996). *The Sciences of the Artificial* (3rd ed.). Cambridge, MA: MIT Press.

Think
gallery

Light of thought, Kouichi Okamoto, 2013.

Extra-ordinary

In the Think images gallery we want to highlight a double value of design, referring to the paradigms that give life to the invention: on the one hand, the ability of design to analyze the theme of the project in a rigorous, close and unbiased manner, adhering to the strict constraints of reality; on the other hand, the ability to conceive, even from simple themes, something radically different, a product capable of disrupting the orderly family of objects that precedes it.

As Michel Serres reminds us, the expanding universe is made of simple bodies and interactions, then it continues to explode with inventive contingencies, becoming increasingly complex and differentiated. In the same way, design invents and expands its own world.

Among the projects we have selected those that best express the attitude of design to look beyond: continuous projection towards the future, but often divergent and unexpected vision of everyday life, which therefore becomes extra-ordinary. This is demonstrated by the way in which the design approaches the technical object: not to "oil the automatism of function", according to the expression of Sottsass, but with a vision capable of deconstructing, ideally and practically, the technical components in order to imagine it with a new logic. In the gallery a particular importance is given to Italian design, starting from the historical one, from emblematic objects, such as the "Securit" radio that Franco Albini made in 1938, or Munari's "5 lire glasses" of the fifties. If modern is still the shared code for design today, it is paradoxically thanks to the myriad of alternative codes that it has been able to give rise to. In the postmodern age, design officially opens up to the dimension of interdisciplinary contamination, and invention can only follow the thousands of streams of fruitful collaborations.

How, then, could we still briefly identify the "skills" of design as inventor? Perhaps the most suitable of all is a striking aphorism that Giorgio Manganelli dedicates precisely to the requirements for creation: "he had been very competent in matters of Things that do not exist". About this the gallery wants to give a small glimpse.

Francesca La Rocca

[look beyond, inventing everyday life, alternative codes, reinterpreting the technical object, neomadic lives]

01

To look beyond

>

True dreamers dream precisely, Giò Ponti said. When a design project represents an invention, strictly or broadly speaking, we observe the ability to overcome a previous convention, projecting the object into a future, first unthought and then suddenly precise in every detail.

02

03

01 *Radio Cubo ts522*, Marco Zanuso and Richard Sapper, 1964. Portable radio composed of two cubic plastic bodies with rounded edges.
02 *Securit*, Franco Albini,1938. Crystal radio with visible electrical components.
03 *Seeing is Believing 1*, Percy Lau, 2013. Innovative glasses creating optical illusions.
04 *Patent n. 4704*, Occhiali paraluce,, Bruno Munari, 1954. Sunglasses made from a single sheet of cardboard folded and cut.

04

4704-

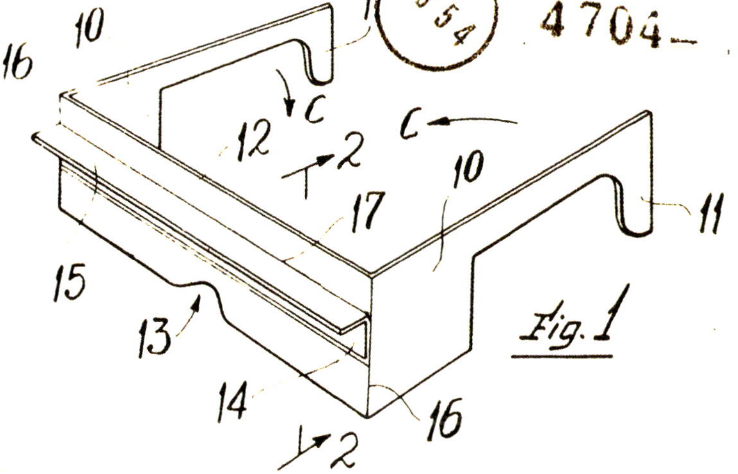

Fig. 1

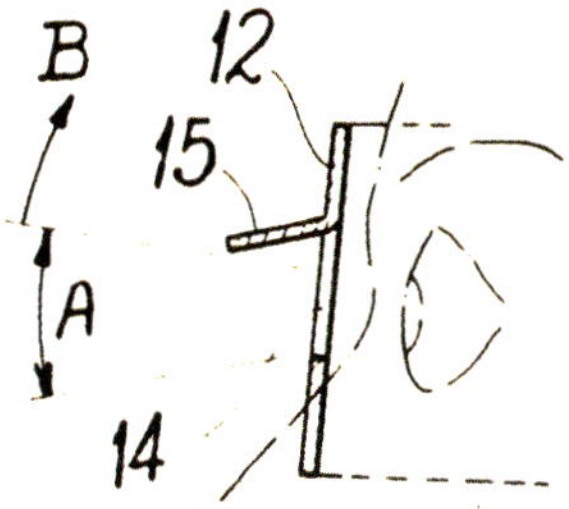

Fig. 2

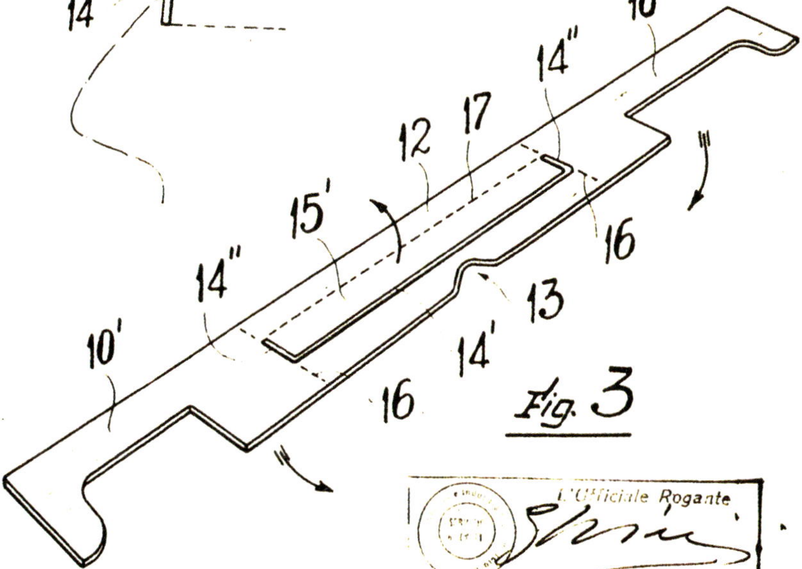

Fig. 3

01

Inventing everyday life

>

The design works in a continuous and subliminal way to change the everyday life. Close to the user and result of his choice, the product enters the sphere of living, representing a small or large innovation that affects the rituals of everyday life, changing a *quid* functional relationships and symbolic interactions.

02

03

01 02 03 *Swish*, Carlo Ratti for Cassina, 2017. Wooden kinetic stool showing the possibilities of "implicit programming" as a design principle for different configurations.
04 *Roboat*, Carlo Ratti, 2016. Prototypes of autonomous floating vessels for the city of Amsterdam, research project.

04

Alternative codes

>

While decoration is a formal code, industry bases its codes on the mechanization of movements and sequences, then, with digital, on the dematerialization of the same codes that become bits. Mathematical matrix of the object, sequence of the production process, digital interface, the design always has to deal with a changing DNA that informs the invention and production.

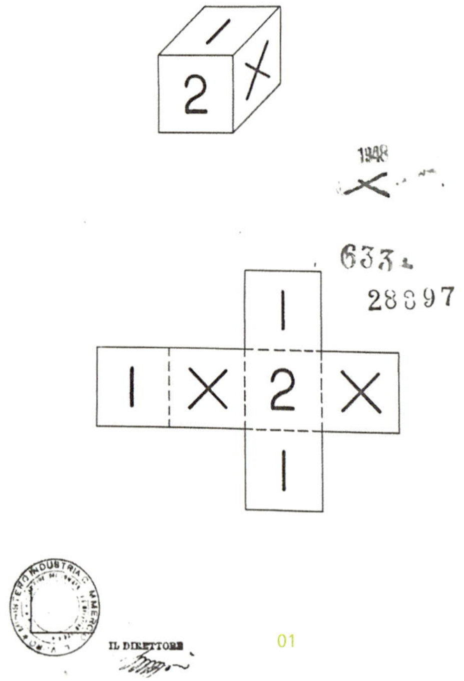

01

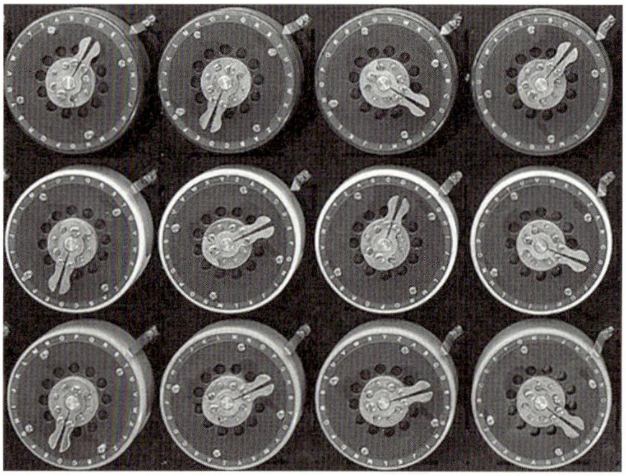

02

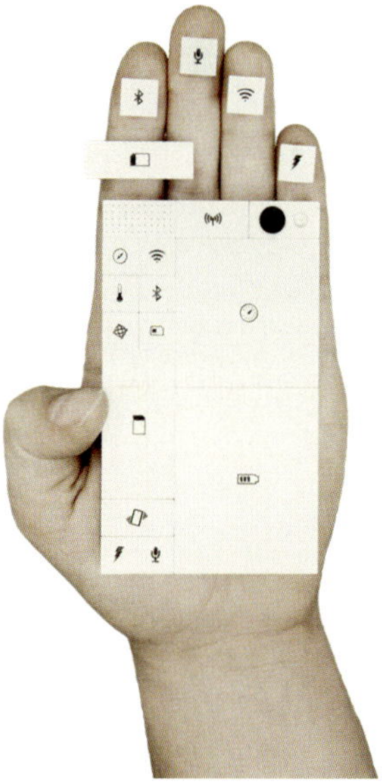

03

01 *Patent n. 28897*, Giuseppe Rocchi and Enzo Picchi, Firenze, 1948. Statistical nut for the formulation of the predictions.
02 *Bombe Machine*, Alan Turing, 1939. Calculator machine used to decrypt German secret messages encoded with the *Enigma* machine.
03 *Phonebloks*, Dave Hakkens, 2013. Modular smartphone, consisting of replaceable blocks representing the different components of the system.
04 *Woven Songs*, Studio Glithero, 2013. Production of woven fabrics. Re-elaboration of traditional production processes using organ punch cards instead of jacquard loom cards.

04

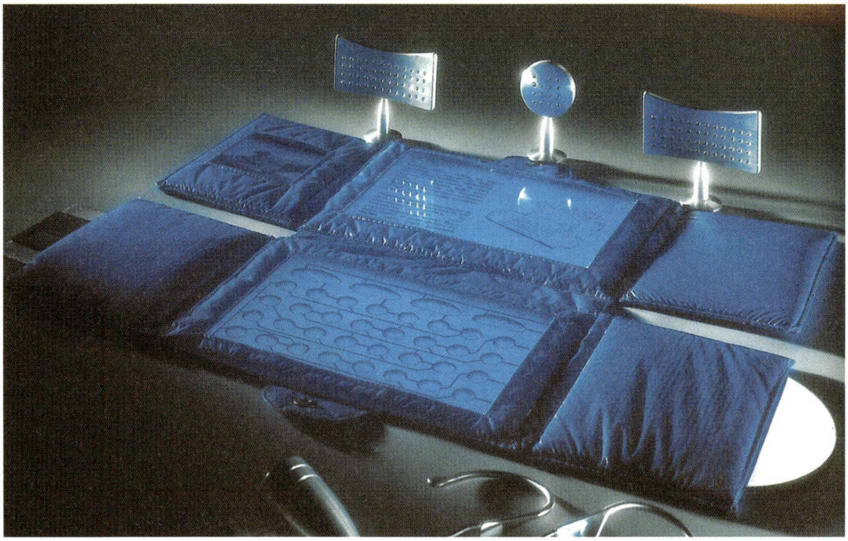

01

Reinterpreting the technical object

>

The way Italian design approaches the technical object is one of the factors that have determined its international success. Domesticate the harshness of technology, bringing into the home the values of use efficiency and the aesthetic values of the industry; reinventing traditional or advanced devices according to alternative functional and semantic logics. These are attitudes that combine rigorous design and sophisticated visionary ability.

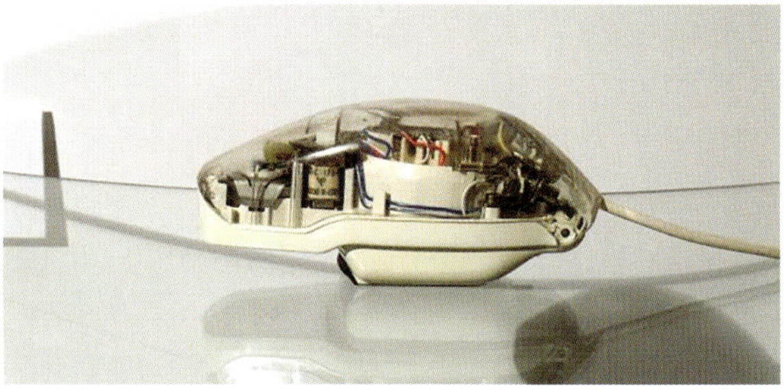

02

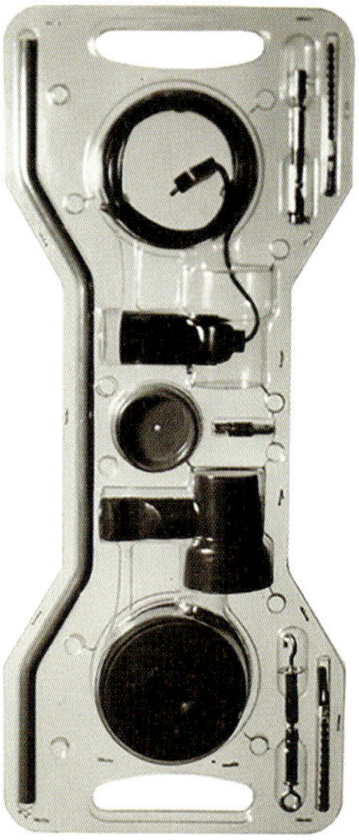

03

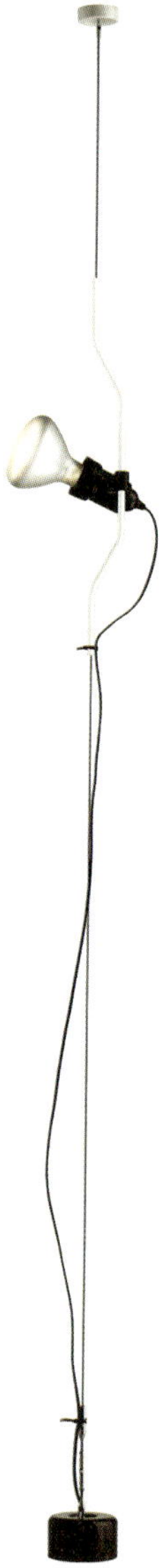

04

01 *Magic Carpet*, Alessandro Chiarato, prototype, 1994. Experimental configurations of office work, in relation to technological development and the research of new lifestyles.
02 *Telefono Grillo*, Marco Zanuso and Richard Sapper, 1965. Furnishing accessory, closable "shell" object for daily use, produced in Italy by Siemens.
03 *Lampada Parentesi*, Achille Castiglioni and Pio Manzù for Flos, 1971. Direct light lamp with vacuum packaging, for the visibility of components, transportable through handles.
04 *Lampada Don Quixote*, Ingo Maurer & Team, 1989. Lamp in aluminium and elastic synthetic material which tilts, rotates and extends.

01

Neomadic lives

>
From big means of transport to hi-tech devices, able to condense into a super-compact object advanced performances for mobility, design is always in the forefront to propose new solutions: moving is the action that, by temporarily eradicating us, more brings us back to the very essence of living.

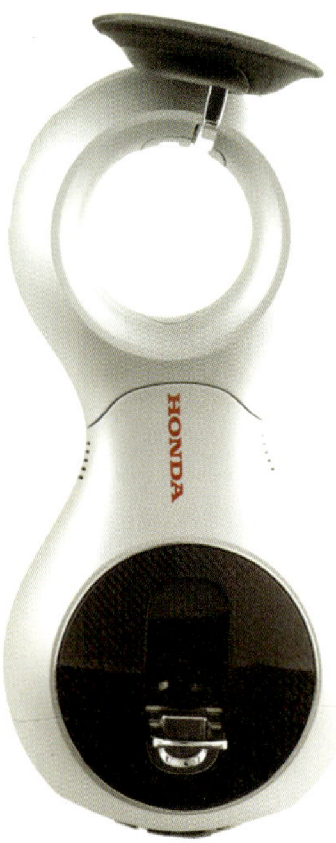

02

03

01 *Amarcord*, Federico Fellini, 1973. Reconstruction of the night-time passage of the ship "Rex", through pieces made and glued to the bottom of the pool of Cinecittà.
02 *U3-X Personal Mobility Device*, Honda, 2009. Robotic device for individual transport.
03 *Experience in Motion*, Van Eijk & Van der Lubbe, 2014. Driverless automotive concept developed for the Volvo brand, highlighting new developments in technology.
04 Patent n. *AT 210278 B*, Costruzioni Aeronautiche Giovanni Agusta S.p.A., 1959. Helicopter with loading cabin that allows the transport of long, protruding loads in the bow and stern.

04

81274

1959

Fig. 1

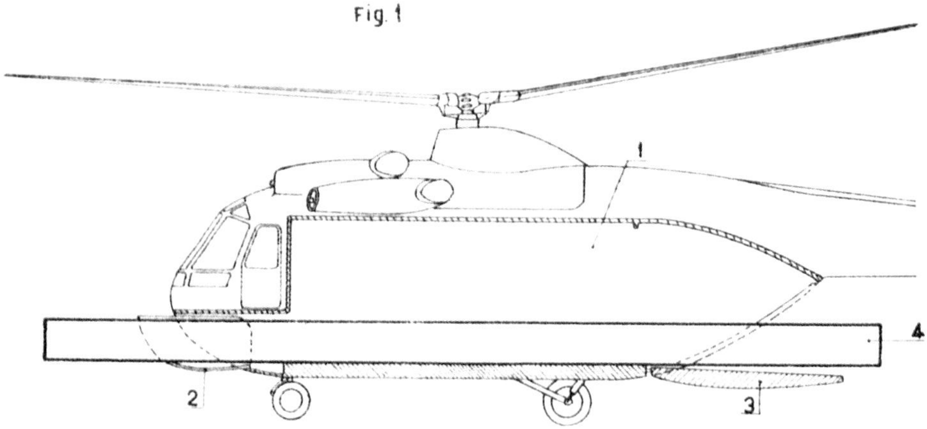

Fig. 2

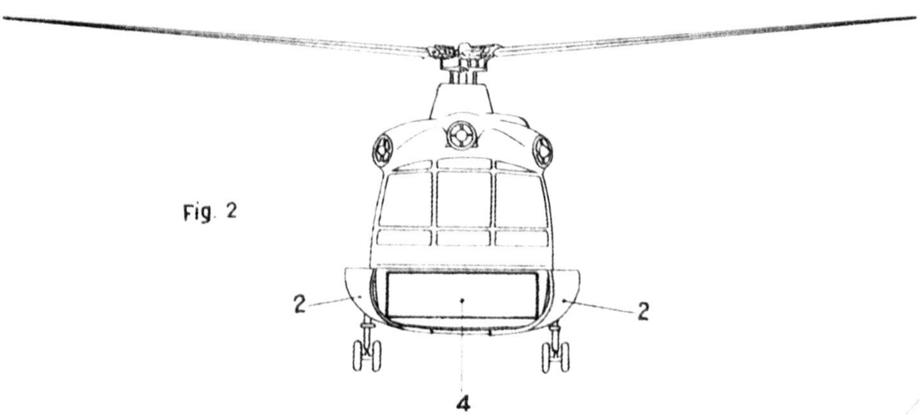

p.p. "COSTRUZIONI AERONAUTICHE GIOVANNI AGUSTA" S.p.A.

Ingg. GUZZI, PIZZA & C.

L'Ufficiale Rogante

MARCA DA BOLLO

LIRE 50

Make

Make gallery > p.102/p.115

Sound in design: a new disciplinary sub-field?

The eclectic attitude of design is reinforced and fostered by the transdisciplinary nature of design-related thinking. For this reason, design can be considered as a constantly evolving discipline, capable of transforming and evolving new sub-areas, depending on the challenges proposed by the working context. Within this framework, the reflections of Canadian musician and theorist Raymond Murray Schafer on the idea of soundscape can be considered as the initial impulse that gave rise to one of the new challenges of design. For many years, only a select few designers paid attention to sound as part of design. The renewed focus on the theme highlights considerable scientific interest, concentrated on the possibilities of formulating, developing and communicating the sound identity of a more appropriate product. Affordance and usability can in fact be strengthened through this sensory channel that binds man and artifacts in a way that is as effective as it is intangible. In this case, design can be considered as the generator of a new design sphere: the experimentation on sound in design pursued out in Italy first, has shown how various disciplines ranging from design to engineering, acoustics and psychoacoustics can contribute to the development of product sound, if guided by the design method. Starting from these assumptions, sound design could be considered as one of the possible new sub-disciplines of design capable of taking advantage of the transdisciplinary approach. A better knowledge of the processes that lead to the definition of sound design seems therefore an essential step, as is learning current approaches to this subject. The contribution will focus on the origin and development, significant case studies, and the theories and design methods at the basis of this new area of design.

[sound identity, affordance, sound requirement, soundscape]

Doriana Dal Palù, Claudia De Giorgi

PhD, Temporary Research Fellow, Politecnico di Torino
Associate Professor, Politecnico di Torino
> doriana.dalpalu@polito.it
> claudia.degiorgi@polito.it

Sound in design: the origin of the subject and its development

The role of design has been rediscovered in recent decades, especially in Modernity, in relation to the themes of innovation and research (Kotler & Rath, 1984). A recent study shows how design can support scientists, technicians and companies in their research activities, establishing effective collaborations that lead not only to the development of new products, but also to new ways of understanding design (Driver *et al.*, 2011), by developing and proposing new design approaches, for example. Design can in fact be considered a constantly evolving discipline, capable of transforming and evolving new sub-areas, generated by unforeseen, not explicitly declared or just bashfully expressed needs, depending on the challenges proposed by the work context (Celaschi, 2008). An example of this changing attitude is the reaction to new design inputs such as product sound.
As stated by Celaschi (2018), we need to look back to a truly remote past to trace the origin of the relationship that binds man to sound.

Our relationship with sound is ancient and prelinguistic. [...] The sound panorama [...] gradually widened and we can imagine that between the dawn of sounds mainly produced by nature and vertebrates, we developed towards a midday of increasingly human sounds, until we reached an evening of artificial sounds produced by machines and engines and an impending night made up of digital sounds, of bits. (pp. V, VII)

In the wake of John Cage's *4'33"* musical experimentations, Canadian musician and theorist Raymond Murray Schafer was the first to show, at the end of the Sixties (Schafer, 1969), that each of us is immersed in a world made of communicative and non-communicative sounds that are pleasant and unpleasant, functional and sometimes completely useless, which he himself defines, with a neologism: soundscape. But he also pointed out how «the soundscape of the world is changing. Modern man is beginning to inhabit a world with and acoustic environment radically different from any he has hitherto known. Noise pollution is now a world problem» (Schafer, 1969, p. 26).
Schafer then focused on what is usually ignored: only a very small part of the sounds of the world around us are deliberately and purposefully designed, and this leads to the increasing noise pollution in which we live.
A linear reaction to the problem raised by Schafer is the tendency towards silence that characterised the design of household appliances and products for the home at the beginning of the new millennium: thanks to European regulations and directives on the acoustic emission of machines and equipment, there has been a shared trend according to which products with high-quality acoustics have frequently seemed to be "silent" products. Remembering, in fact, some considerations made by one of the fathers of product sound design (Lyon, 2000) on the industrial attitude at the beginning of 2000, it seemed to be commonly true that, when talking about the sound attributes of their products, companies in general declared that they wanted to make their products silent.

Stories of products, stories of designs (sounds)

Despite the trends briefly outlined, since the forties there have been several product designs that, more or less unconsciously, have traced the history of sound design. Although this "constellation" was for organically summarised and organised for the first time according to a logical thread of interpretation in the exhibition "Oggetti sonori. La dimensione invisibile del design" at the Triennale Design Museum in Milano, curated by Patrizia Scarzella and Marco Ferreri in 2009 (Ferreri & Scarzella, 2009), to which reference should be made for a deeper understanding, we will try to summarise it roughly in a concise and precise account of particularly significant case studies, ideally continuing the overview to date (Byron, 2012), so as to extend its reading over the last decade.

"Engine", Harley Davidson, 1936

The distinctive roar of their motorcycle engines convinced Harley Davidson to unsuccessfully try to patent this sound as its own trademark.

"Grillo Telephone", Siemens, 1966, design by Marco Zanuso

Although the main innovation was not its sound, the Grillo went down in history also for this invisible element. The ringtone, placed in the socket, so detached from the central body of the telephone, generated the typical mechanical buzz, which gave the Grillo its name.

"9091 Kettle", Alessi, 1983, design by Richard Sapper

The completely analogic sound inspired by the notes of the barge signals on the Rhine is obtained by two choristers in E and B, which modulate the whistle made by the steam that comes out of the kettle.

"The Microsoft Sound", Microsoft, 1994, composition by Brian Eno

A musical haiku, a minimum composition of a handful of notes, designed by Brian Eno for Windows 95. The brief was to produce, in a few seconds, an optimistic, futuristic, sentimental and emotional jingle.

"Packaging of SunChips crisps", Frito-Lay, 2010

The choice of compostable packaging for "SunChips" crisps turned out to be a failure. The packaging, quieter than the previous version, did not indicate the crunchiness of the product, and was rejected in the final consumer test.

"Packaging for High Impact Extreme Volume Mascara", Clinique, 2012

Chosen from over forty packaging prototypes, the discreet but evident click selected conveys high-end elegance to the Clinique product and tells the user that the case has been properly closed.

"PS_WARN", FIAMM, 2012, Acoustic Devices division engineering department
To avoid the dangerous silence of the electric car, *Fabbrica Italiana Accumulatori Motocarri Montecchio* (FIAMM) has proposed a loudspeaker that digitally reproduces a signal sound when the car is travelling at low speed (below 30 km/h). On trial on the electric cars of the Paris car sharing system, the loudspeaker reproduces the chirr of the cicadas of Provence.

This brief selection of projects shows how product sound has evolved from being an element that is endured, a consequence which, while being sometimes fruitful and distinctive, is not specifically designed, to become a memorable element of the product, as well as a strategic asset in the communication of its qualities. The trend changed between the nineties and the new millennium, when the importance of sound design was rediscovered by sensory marketing (Lageat, Czellar & Laurent, 2003). Nevertheless, considering sound design as a mere marketing strategy means taking advantage of only some of the opportunities offered by the design of this "invisible aspect" (Ferreri & Scarzella, 2009).

Comparing design theories and methods

The importance of the "soft qualities" of design, such as, for example, colour, light, decoration, scents and even ambient music, appeared from the seventies and seems to have grown ever since (Branzi, 1984). But how to identify the sound you want, design it, and govern the variables that generate is a complex matter, within which very different methods and approaches are outlined.
This subject has been investigated, for example, by the *École Nationale Supérieure de Création Industrielle* (ENSCI) *Les Ateliers* in Paris where, since 2000, sound design has been read as «the conception and creation of functional sounds and sound systems, [...] with the contribution of an artistic-musical approach to technological innovation» (Cahen, 2015). Thanks to the Perception et Design Sonores of the *Institut de Recherche et Coordination Acoustique/Musique* (IRCAM) of Paris, the creative approach is not free from every constraint of effectiveness, however, and each proposal is tested to verify the actual functionality of the sound created.
A different approach, less linked to compositional-musical interpretation and more to the psychological-cognitive aspect of sound perception is experimented at Medipol University in Istanbul, where second year design students are required to design an everyday object that "makes you feel good" through sound (Soylu *et al.*, 2017). In this case, the course, conceived as a workshop in which to experiment, step by step, the design of sensory aspects (sound, sight, taste and touch-smell), is enriched with contributions from cognitive psychology, with particular reference to the theories of positive psychology by Martin Seligman, and the model *Positive emotion, Engagement, Relationships, Meaning and Accomplishments* - PERMA (Seligman, 2012).

Another different approach, perhaps linked more to the theories and methods relating to the demands and performance of design (Bosia, 2013), has been widely and thoroughly investigated at Politecnico di Torino, where a multidisciplinary group of researchers guided by design methods has developed a tool and a methodology covered by patent (TO20110089), application in 2011 and publication in 2013, thanks to physical and intangible workshop experimentation, in support of sensory sound design (De Giorgi *et al.*, 2011).

SounBe: method and device for the designed sound

The tool, developed over years of research, is called SounBe, and was designed to support designers and architects in the delicate meta-design phase of choosing the right material for the project, also considering sound as a fundamental requirement. With the help of this method it is possible to identify the three main generators of any mechanical sound, schematised as the material-form-gesture triangle. These three variables can be assumed as key factors of every mechanical sound (the tinkling of a teaspoon inside a cup, the rubbing of the fabric of a technical jacket, the slamming of a car door). Once the generators have been defined, the tool allows different material samples which can be adopted for the future product to be stressed in a normalised manner, varying each generator of them. Once the sounds deriving from the material-form-gesture interaction have been obtained, the method envisages the definition of their sensorial profile through a descriptive procedure borrowed from the techniques of sensorial analysis of food. Each stimulus is associated with a semantic descriptor taken from the reference literature (Von Bismark, 1974) by a group of "tasters", i.e. judges guided in the acoustic sensory analysis (Lerma *et al.*, 2013). Each sound is then matched to the most suitable descriptor by means of a voting procedure, and each sound-descriptor match can be considered as the initial information on the perception of sound. The sounds obtained and the descriptors associated with them are collected in a constantly growing database developed by MATto, the Material Library of Politecnico di Torino (a collection of more than 700 material samples, which can be "sound" with SounBe tool) and, by means of keyword-based search, designers and architects will be able to predict and consciously design the product sound, comparing the sounds and their descriptors. Method and patent are therefore a means of generating new sound identities through a qualitative and quantitative descriptive method that involves the human being as a sensory judge.

As an example, an acoustically comfortable environment in workspace greatly affects its global perceived quality. An object which is common to every office, and that truly contribute to the office soundscape, is the office chair. In one working day, an employee can perform more than 250 changes of position and an almost endless number of micro-movements on his chair. It could be interesting to analyse the current attributes associated, for example, to the office chair rolling sound. Moreover, with this method, designers could identify new attributes for sounds (such as an elegant sound or a technological sound): different imaginative attitudes that can be conveyed not just

through the visible aspect, rather also through a new, often unconscious, language. It is therefore possible to point out a sound "identity" for a product, and design it, for example selecting the office chair wheel that best suits to a specific need.
How to integrate sound into the meta-design process (Germak, 2008) of the product (or service), thus linking this soft quality to those outlined by Branzi (1984) within the hard, physical design of the product, has recently been theorized and shared with the scientific community by the same research group (De Giorgi, 2018):

every product responds through performance to different requirements. Requirements are derived from the multiple needs generated in various processes (use, production, management, environment-based, etc.) by the context encountered during the project. Therefore, every product has a "set" of requirements of its own, different from the sets of all the other products. There are, however, requirements which, at Politecnico di Torino, in the reflection dedicated to research and education in Design, are considered "universal", meaning that they have to be considered always, for every project, in every context (simplicity, identity, sharing, safety, reliability, disassembly...). These are design-related demands, or "points of attention", which should always be considered as good design practices to respond to, on the basis of individual design opportunities. (pp. 15-16)

It was therefore significant to consider including the sound requirement, not just "adding" it to the other specific requirements of the project, but "hinging" it among the basic requirements, thus also contributing to their evolution.

Complexity and interdisciplinarity

This process for focus, conception, development, prototyping and testing of a new method and its associated instrument related to sound design has not been without difficulties, related to the transdisciplinary nature of research, to the gap that is created in the outputs and the difficulty of finding a customer for the technology who is capable of understanding its innovation.
The interdisciplinary group of curiosity driven research, which worked on it from the outset to the development of the patent, the validation, and the identification of possible applications in different fields, is made up of young and senior researchers in design specialising in materials and sensoriality, acoustics and cognitive ergonomics. The research has provided the opportunity to elaborate some considerations regarding the importance of interdisciplinary research today, the comparison and mutual enrichment of research methods from different disciplines and the strategic role of design in making the results of research in other sciences applicable and understandable. There was a "disciplinary gap", at least initially: the results of the research often seemed too closely linked to acoustics for designers and too applicative for acoustics. The middle ground, not just the landing place, for disseminating the research was finally identified in publications in international scientific journals

common to both disciplines, both applicative and experimental, leaving room for the story of this experience.
Lastly, there was a certain difficulty in finding a customer capable not so much of understanding the method as of prefiguring the potentially significant repercussions of applying it to his business. This problem has started to be solved by choosing as interlocutors highly innovative and recently created companies, which aim to provide products and services that are not yet available on the market, which have proved more "courageous" than their traditional counterparts in evaluating the SounBe method as a possible enhancement for their businesses.

A new design sphere?

So far, little has been done to eliminate unpleasant sounds, transforming them into new sounds that are not only vaguely "pleasant", but above all "right", correct for the type of product, relevant to its identity, capable of providing the user with precise feedback but recalling values and imagery consistent with the experience that is taking place (De Giorgi, 2018). This is not a marketing strategy and neither a project for specific targets, but rather a way of giving the product, or service, the best "voice", right for the type of product, relevant to its identity, capable of providing the user with precise feedback but recalling values and imagery consistent with the experience that is taking place. In extreme synthesis, sound ergonomics are emerging, as part of the physical and cognitive ergonomics of the product, which contributes to the construction of its affordance (Gibson, 1979), coherently with a design for all vision. Donald Norman (2004) has shown, through various experiments, how the "pleasantness" of a product plays a fundamental role in the satisfaction of the person who performs the action, but also in the effectiveness of the performance: «emotions allow us to translate intelligence into action». We have therefore perhaps entered «into a new sphere, the "sphere of designed sound": [...] the intentional sound, planned before being produced and reproduced, is born» (Celaschi, 2018, p. VIII). In other words, design can now benefit from a new approach, a "simplex" approach that improves comprehensibility and use by the end customer: we are finally able to translate complex information into spontaneous and intuitive signals (Berthoz, 2011), partly through the sound channel, thanks to a new and emerging disciplinary sub-field.

References

> Berthoz, A. (2011). *La semplessità*. Turin: Codice Edizioni.
> Bosia, D. (2013). Tecnologia e progetto. In D. Bosia (eds.), *L'opera di Giuseppe Ciribini* (pp. 90-101). Milan: FrancoAngeli.
> Branzi, A. (1984). *La casa calda*. Milan: Idea Books Edizioni.
> Byron, E. (2012, October 24). The search for sweet sounds that sell. Household products' clicks and hums are no accident; Light piano music when the dishwasher is done? *The Wall Street Journal*. Retrieved from https://www.wsj.com/articles/SB100014240529702034064045780746715988041116
> Cahen, R. (2015). In the circle of Education and Innovation. Teaching Sound-Design @ENSCI Les Ateliers. *Paper presented at The Cumulus Conference*. Milan: McGraw-Hill Education Italy.
> Celaschi, F. (2008). Design as mediation between areas of knowledge. In C. Germak (eds.), *Man at the Centre of the Project. Design for a New Humanism* (pp. 19-31). Turin: Umberto Allemandi & C.
> Celaschi, F. (2018). First came the body. In D. Dal Palù, C. De Giorgi, B. Lerma & E. Buiatti, *Frontiers of Sound in Design. A Guide for the Development of Product Identity Through Sounds*, (pp. V-IX). Cham: Springer International Publishing AG.
> De Giorgi, C. (2018). What Sound Will My Product Make? Birth of a New Design Requirement. In D. Dal Palù, C. De Giorgi, B. Lerma & E. Buiatti, *Frontiers of Sound in Design. A Guide for the Development of Product Identity Through Sounds*, (pp. V-IX). Cham: Springer International Publishing AG.
> De Giorgi, C., Astolfi, A., Buiatti, E., Lerma, B., Arato, F. & Dal Palù, D. (2011). SounBe: metodo e strumento per l'analisi sensoriale acustica dei materiali. *Italian Patent No. ITA TO20110089*. Turin: Politecnico di Torino.
> Driver, A. J. Peralta, C. & Moultrie, J. (2011). Exploring how industrial designers can contribute to scientific research. *International Journal of Design*, 5(1), 17-28.
> Ferreri, M. & Scarzella, P. (2009). *Oggetti sonori, la dimensione invisibile del design*. Milan: Electa.
> Germak, C. (eds.). (2008). *Man at the Centre of the Project. Design for a New Humanism*. Turin: Umberto Allemandi & C.
> Gibson, J. J. (1979). *The ecological approach to visual perception*. Boston: Houghton Mifflin Company.
> Kotler, P. & Rath, G. A. (1984). Design: A powerful but neglected strategic tool. *Journal of Business Strategy, 5*, 16-21.
> Lageat, T., Czellar, S. & Laurent, G. (2003). Engineering hedonic attributes to generate perceptions of luxury: consumer perception of an everyday sound. *Marketing Letters*, 14(2), 97-109.
> Lerma, B., De Giorgi, C. & Allione, C. (2013). *Design and materials. Sensory perception_sustainability_project*. Milan: FrancoAngeli.
> Lyon, R.H. (2000). *Designing for Product Sound Quality*. New York: Marcel Dekker.
> Norman, D. A. (2004). *Emotional design: why we love (or hate) everyday things*. New York: Basic Books.
> Schafer, R. M. (1969). *The new soundscape*. Don Mills: BMI Canada Limited.
> Seligman, M. E. P. (2012). *Flourish: A Visionary New Understanding of Happiness and Well-being*. New York: Atria Books.
> Soylu, Y., Şalgamcıoğlu, B. K., Efilti, P. & Kasajim, O. (2017). The Anatomy of a Multi-Sensory Design Course: Happy Sound Object. *The Design Journal*, 20:(1), S1367-S1379.
> Von Bismarck, G. (1974). Timbre of steady sounds: factorial investigation of its verbal attributes. *Acustica*, 30, 146-159.

Hacking Meanings. Innovation as everyday invention

In a context where technology is growing ubiquitous, human and graspable, Thingk embraces the challenge of transforming simple and archetypical objects by technologically augmenting them. Seeking for primitive, geometric forms with advanced and smart functions, the startup follows an innovation of meaning that goes through hacking the meaning of apparently basic and minimal artefacts, making them "everyday objects with superpowers".
In the following we explore how such innovation, which starts with acting on aesthetics, affects the interface (UI), and impacts on the user experience (UX), influences the entire design process. In particular, we discuss the design-driven innovation, and how it benefits from revolving around the many opportunities and challenges that come from questioning some design conventions by including innovation as the ability to make the unexpected a driving force.
We focus in particular on data and end-users as sources of knowledge and innovation, as well as on technological variation as potentialities for experimenting and improving. From combining technological breakthroughs and design opportunities aiming at responding to contemporary and future market trends, to including interdisciplinary knowledge and expertise from Design, Engineering, and Marketing, to the identification of a community of practice and the involvement of prosumers in the co-design: each step of the process is unpacked, highlighting its design implications. As a result, the designer is no longer just an inventor and innovator, but also a researcher, interpreter, and entrepreneur.

[design process, design-driven innovation, smart objects, user experience, affordances]

Umberto Tolino, Ilaria Mariani

Associate Professor, Politecnico di Milano
Temporary Research Fellow, Politecnico di Milano
> umberto.tolino@polimi.it
> ilaria1.mariani@polimi.it

Technology is transforming everything. Between its advances and disruptions, the ongoing digital transformation is changing our industries, reshaping users (Turkle, 2017), and also the design processes. It is growing ubiquitous and increasingly pervasive (Kuniavski, 2010), but also human, enabling, and graspable, making contemporary products smarter, embedding sensors, network capacity, processing and computational power (Anderson, 2012). This feeds the development of interactive, augmented products that often embed electronics seeking desirability rather than functionality. In particular, the state of the art shows the traditional idea of interface as progressively questioned. Examples are products such as "BeoSound Moment" by Bang & Olufsen and "Osound" by Digital Habits, where the interface is respectively just hinted or absent (Natural User Interfaces or No User Interfaces).
In line with this trend, Thingk, a spin-off company of the Politecnico di Milano, makes the design process its main driver, alongside its ability to read contemporary phenomena to innovate everyday objects, rethinking established archetypes in terms of functions, starting from essential geometric morphologies. The field of reference is that of smart objects and digital environments; a field, that of Smart Home, which records a high growth rate (+35% from 2016) and a revenue of 250 million euros (Osservatori.net, 2018).
Harnessing the transdisciplinary nature of its team, the startup intertwines design and engineering to research and develop smart products that combine digital performance with significant aesthetic impact through in-depth research on materials and processing technologies. Exploiting this interdisciplinarity, Thingk follows a design-inspired innovation that leverages the ability to envision users' needs through user research and data analysis. This enables to rapidly respond to technological advances and market demands, converging technologies into distinguishing products. The outcome is a series of artefacts with an apparent analog look-and-feel, that once touched reveal their digital nature.
Considering how electronics and computer science can be enabling, ubiquitous and affordable, we are increasingly teased to imagine smarter and hybrid experiences that move among physical and digital dimensions (Ishii *et al.*, 2015; Krishna, 2015), affecting users' behaviours and habits in consequence. This condition fueled the desire for progressively more natural experiences (UX), leading experimentation that narrows the distance between user and artefact.

Everyday objects with superpowers

Thingk experiments with interactive technologies, introducing to the market products that "disguise themselves". Apparently simple and minimal artefacts (shape) get technologically augmented (function), following the slogan: "everyday objects with superpowers". If on the one side this approach translates into invisible technology and essential aesthetics, on the other side it empowers objects with unexpected properties, *hacking* their meaning, namely redesigning their aspect and functions

(affordances and interactions), playing with how they are perceived by users (Krippendorff, 1989; Heskett, 2002; Verganti, 2009).
Design means making sense of things (Krippendorff, 1989), and artefacts should communicate their function through their appearance that should provide the critical clues required for its proper operation (Norman, 1999, p. 39). Hence, the interface plays an operative role (phatic function; Jakobson, 1960), triggering the dialogue with the user (as a receiver). However, if on the on side meaning refers to the affordances of an artefact, on the other it points to something that goes beyond functionality, building the emotional and symbolic value of a product (Verganti, 2009). Therefore, re-designing meanings is a core aspect, that acquires further relevance considering that the startup pursues a design-inspired innovation where user's needs are acknowledged, technological opportunities are growing (Utterback *et al.*, 2006), but the form-function relationship of products is no longer so familiar. When objects change their meaning, their language becomes far from being taken for granted. The resulting products have no explicit interface (Krishna, 2015) and react showing their true colours only through interaction, revealing the quiescent functions living underneath the surface of an object apparently silent. The result is a series of objects for domestic use: a smart kitchen scale that looks like an ash parallelepiped (Slab!), a wireless smartphone charger that appears as a beech disk (Disc!) and a wireless charging plan integrated into a leather desk blotter (Desk!)
Because of their embedded technology potentialities, each object of the series required particular attention to the design of the interface, which often coincides with the product itself. In a perspective of formal simplification, while playing with embedded technology, Thingk researches for primitive forms (as highlighted by their names) and advanced functions. It experiments with the recognized fact that the interface should act as an interpreter (Norman, 1999), serving as a semantic filter that connects user and product (Bonsiepe, 1995). While the interface separates the object from the person, proving to be a barrier, it is also an element of translation that transposes the user's interactions into a language comprehensible to a product designed/programmed to react. However, the tangible interface (TUI) of this series of objects becomes somehow misleading, showing affordances that are reduced (formal simplification) if compared to real functionalities (semplexity). This produces implications that cannot be underestimated, both in terms of UI and UX.
When experimentation involves interfaces, leading to design apparently mute artefacts (such as Apple's "HomePod"), it grows paramount to investigate the patterns of use, namely how users interact with the object. In particular: What does it imply to base an R&D activity on the manipulation of meanings, acting in parallel on aesthetics and functions? How does it affect the UX?
In this regard, it was pivotal a crowdfunding campaign that accompanied the first series of products, leading to the identification and engagement in the process of a community of prosumers (active users) that contributed to critically unpacking how such artefacts get interpreted and used (Yoo, 2012).

Design interactions between users, contexts and production logics

Developing products oriented toward an innovation of meaning (Norman & Verganti, 2014) requires the adoption of technological solutions and opportunities able to respond to the contemporary and future market trends, and with the problem of obsolescence. The production process is indeed structured to vary its scale and geographical extent according to the market requests (Bianchini & Maffei, 2013). This flexibility is possible because the craftsman-made body allows rapid production variations in contrast to what happens when the production is based on standard series logic. Therefore, products can change and be updated (in their shape as in terms of re-programmability, if IoT objects) without changing their appearance, and without affecting the end user's perception. That said, we unpack the implications of a design-driven process aimed at hacking meanings. This process is divided into two interconnected macro-phases. The first is oriented towards radical innovation and starts with the formulation of a research issue to nurture a design phase where prosumers are involved. The second regards development and production, and revolves around data and end-users (especially communities of practice) as continuous sources of knowledge as everyday innovation. In doing so, the full process transversally harnesses the different knowledge of the startup, tapping into the multiple fields of design and engineering, including practices of analysis that derive from the fields of sociology, anthropology, and ethnography, complemented with marketing activities aimed at strategically including signals from the market.

Research

Considering the impact of technology in developing innovative products and its key role in the market as well as in future economies (Dell'Era *et al.*, 2017; Porter *et al.*, 2004), this phase is crucial for competitive advantage. It starts from a desk research on technological and lifestyle trends to identify the design perimeter and the constraints of the context of reference, focusing on breakthroughs in the fields of electronics, interaction design, and material research. The experimentation extends from function to usability, and from language to meaning, defining an area of friction where the interface almost disappears to become embedded in the object or to become the object itself. Contemporary studies (Giaccardi, 2015; Kuniavsky, 2010; Ishii *et al.*, 2015; Norman, 2010; Ballmer, 2010) picture the presence of several trends in technology as dissolving into our bodies, the environment and the cloud (Sutton, 2015). Trends that are confirmed in the context of reference, fuelling appreciable experimentation. On the one side, interactive artefacts where the aesthetics explicits function and meaning, and the interaction uses Natural User Interfaces, as Digital Habits' speaker "P.A.C.O." that relies on gesture control to operate volume and playback. On the other, artefacts that hide their interface and disguise their function until users interact with them; an example is "Nuimo" by Senic, a wireless controller that manages different functions of several home devices. Lastly, when the technological component gets prominent, and the connection among devices, data, and internet (IoT) becomes a critical aspect, interactive artefacts become extended systems that dialogue with apps and other objects. An example is Lapka's "Environment" concept where a series of environmental sensors communicate with the smartphone, translating complex data into user-friendly visualizations.

Design and prototype

An interdisciplinary team with knowledge and know-how in the multiple fields of design and engineering figures a design roadmap, exploring alternative models of interaction that lead to unconventional user experiences. Seizing the tenets of digital transformation (Kuniavsky, 2010), and following a technological hybridization, Thingk merges analog dimension and digital immateriality (Vitali *et al.*, 2017). The use of natural materials pursues a strongly haptic dimension that directs users' expectations towards habitual interactions (MacLean, 2008). The products' appearance declares an apparent simplicity that hides complexity (not complication) and unexpected smartness. A semplexity that results from archetypical forms (geometric and minimal objects), paired with the choice of high-quality but familiar materials such as milled wood, handmade leather, and polished stone.
While the research and design phases follow a design-driven innovation (Verganti, 2009), the prototype testing grounds on a Human-Centered approach. Using ethnographic methods, we draw particular attention to user's response (Herstatt & von Hippel, 1992) and to how such products blend digital and physical aspects. Hacking meanings also requires to comprehend and assess how users interact and "translate" the artefact. Concerning UX, it is indeed paramount to intercept recurrent problems in using the object to solve them. As a result, to obtain an efficient and reliable evaluation of the product that considers usability and aesthetics (in terms of materiality, proportions and shapes) but also the symbolic and emotional value aroused, leveraging our marketing and interaction design skills, we involved a community of prosumers in a qualitative enquiry (focus groups, interviews) as well as in creative brainstorming sessions. This late inclusion is due to the fact that users rarely contribute in anticipating/envisioning potential innovations: because of their socio-cultural context, they are stuck in the present (Dell'Era *et al.*, 2017). On the opposite, they are crucial in the testing and assessment moments of the iterative process (Tolino & Mariani, 2018).

Development

Embracing a model of innovation based on a flexible, reconfigurable manufacturing logic that encourages the constant and conscious updating of electronic components rapidly obsolete technologies guarantees competitivity and ensures high-rate adaptability to the market. Choosing flexibility rather than standardisation means engineering products' body and technology as adaptable to structural changes (shape and assembly), eradicating large-scale design constraints of scale - in a counter economy-of-scale mindset (Bianchini & Maffei, 2013). From an engineering and design perspective, the challenge is to develop objects able to reconfigure themselves: smart design for quick adaptability to the context of use and its requirements. Moreover, when objects are smart and connected to the Internet (IoT), their connectivity and computing capabilities are programmed to detect and record data about product's use and life-cycle.

Production, data analysis, improvements

Once the development and engineering of the electronic components are completed, the fabrication is entrusted to two different production chains: local artisans specialized in processing the material chosen for the product body, and companies committed to the production of the electronic components. After the realization of some study samples, a first limited series of artefacts is produced, promoted and tested.

A crowdfunding campaign and an explorer program (in progress) contributed to the identification, involvement, and study of a community of users. Such experimentation with end users (Herstatt & von Hippel, 1992; Bogers *et al.*, 2010) led to verify the usability and intelligibility of artefacts whose meaning has been redefined, triggering a precise re-design aimed at obtaining a progressive product improvement, in a process that anticipates rather than responding to needs. This also implied a specific research on user behaviour, benefiting from a traditional data analysis that, when an IoT system is present, is combined with information from sensors embedded into objects (Tolino & Mariani, 2018). In the case of "Slab!", the analysis conducted on uses via data collection and observation, appropriately interpreted by the designer, led to improvements such as the repositioning of the LED display transpiring from the wooden surface, from the front to the top (interface), and the modification of functions in relation to the orientation, indicating the weight of the food when the object is horizontal or the time when vertical (functionality).

Data shows how and to what extent artefacts are used coherently to the design(ers) expectancies. Quantitative data plays a crucial role in capturing, understanding, and assessing users' interaction and reactions to the product, turning habits into potential innovation of product. In the meanwhile, interviews, focus groups, questionnaires, and observations (ethnography) provide qualitative data useful for product implementing on the ground of uses as user's expectancies.

Designer as inventor

For Thingk, innovation revolves around the constant observation of everyday life and technological experimentation, in line with an aptitude to design that is flexible and in the making, with significant effects on the formal and aesthetic level of the product. The daily invention is therefore articulated in three different aspects that contribute to innovation. Embedded smart technology, observation of emergent use models and rapid adaptability to the market are the levers on which the design activity of the startup is articulated.

Relying on these assumptions opens up opportunities and challenges that come from questioning the aesthetic-functional conventions of some traditional domestic objects, contaminating the usual interpretative processes. The future scenario of the current research seems to encourage the experimentation of interfaces able to assume a dynamical character, that is to say becoming able to express different functions depending on specific contexts of use. In this perspective, innovation moves towards a further density of meanings coexisting in a single object.
The designer's role is to increase the cognitive references (perceived and real affordances) connoting the artefacts through the introduction of digital affordances triggered by interaction and activated by smart technology.
The resulting process is as innovative as critical since it relies on multiple variables that require constant experimentation, in which contamination and dialogue between skills are fundamental. In this context, the designer is more than ever challenged to become a collector of knowledge. As a result, the designer is no longer just an inventor and innovator, but also a researcher, interpreter, and entrepreneur.

References

> Anderson, C. (2012). *Makers: The New Industrial Revolution*. Toronto: McClelland & Stewart.

> Ballmer, S. (2010, January, 12). CES 2010: A Transforming Trend–The Natural User Interface. *The Huffington Post*. Retrieved from http:// www.huffingtonpost. com/steve-ballmer/ces-2010-a-transforming- t_b_416598.html

> Bianchini, M. & Maffei, S. (2013). Microproduction Everywhere: Defining the Boundaries of the Emerging New Distributed Microproduction Socio-Technical Paradigm. *Social Frontiers: The Next Edge of Social Innovation Research*, 1-21.

> Bonsiepe, G. (1995). *Dall'oggetto all'interfaccia. Mutazioni del design*. Milano: Feltrinelli.

> Bogers, M., Afuah, A. & Bastian, B. (2010). Users as innovators: A review, critique, and future research directions. *Journal of Management, 36*(4), 857-875.

> Dell'Era, C., Altuna, N., Magistretti, S. & Verganti, R. (2017). Discovering quiescent meanings in technologies. *Technology Analysis & Strategic Management, 29*(2), 149-166.

> Giaccardi, E. (2015). Designing the connected everyday. *Interactions*, *22*(1), 26-31.

> Heskett, J. (2002). *Toothpicks and logos: Design in everyday life*. Oxford: Oxford University Press.

> Herstatt, C. & von Hippel, E. (1992). From experience: Developing New Product Concepts Via the Lead User Method: A Case Study in a "Low-Tech" Field. *Journal of Product Innovation Management, 9*(3), 213-221.

> Ishii, H., Leithinger, D., Follmer, S., Zoran, A., Schoessler, P. & Counts, J. (2015). Transform: Embodiment of Radical Atoms at Milano Design Week. *Proceedings of the 33rd Annual ACM Conference*, pp. 687-694. ACM.

> Jakobson, R. (1960). Linguistics and poetics. In T. Sebeok (eds.), *Style in language* (pp. 350-377). Cambridge: MIT Press.

> Krippendorff, K. (1989). On the essential contexts of artifacts or on the proposition that design is making sense (of things). *Design Issues, 5*(2), 9-39.

> Krishna, G. (2015). *The Best Interface Is No Interface*. Berkeley: New Riders.

> Kuniavsky, M. (2010). *Smart Things: Ubiquitous Computing User Experience Design*. Burlington: Morgan Kaufmann Elsevier.

> MacLean, K. E. (2008). Haptic Interaction Design for Everyday Interfaces. *Reviews of Human Factors and Ergonomics, 4*(1), 149-194.

> Norman, D. A. (1999). Affordance, Conventions, and Design. *Interactions, 6*(3), 38-43.

> Norman, D. A. (2010). Natural user interfaces are not natural. *Interactions, 17*(3), 6-10.

> Norman, D. A. & Verganti, R. (2014). Incremental and Radical Innovation: Design Research vs. Technology and Meaning Change. *Design Issues, 30*(1): 78-96.

> Osservatori.net (2018). *Il mercato dell'Internet of Things in Italia*.

> Vitali, I., Arquilla, V. & Tolino, U. (2017). A Design perspective for IoT products. A case study of the Design of a Smart Product and a Smart Company following a crowdfunding campaign. *The Design Journal, 20*(sup1), S2592-S2604.

> Porter, A. L., W.B. Ashton, G. Clar, J. F. Coates, K. Cuhls, S. W. Cunningham, K. Ducatel, *et al.* (2004). Technology Futures Analysis. *Technological Forecasting and Social Change, 71*(3), 287-303.

> Sutton, T. (2015, February 14). Invisible Applications. UX Design without GUIs. *Medium*. Retreived from https://medium.com/@thomas_thinks/ invisible-applications-10501f6cfa5

> Tolino, U. & Mariani, I. (2018). Do You Think What I Think? Strategic Ways to Design Product-Human Conversation. *Strategic Design Research Journal (SDRJ), 11*(3).

> Turkle, S. (2017). *Alone together: Why we expect more from technology and less from each other.* Paris: Hachette.

> Utterback, J., Vedin, B. A., Alvarez, E., Ekman, S., Walsh Sanderson, S., Tether, B. & Verganti, R. (2006). Design-inspired innovation and the design discourse. *Design-Inspired Innovation*, pp. 154-186.

> Verganti, R. (2009). *Design Driven Innovation: Changing the Rules of Competition by Radically Innovating what Things Mean*. Boston: Harvard Business Press.

> Yoo, Y. (2012). Digital Materiality and the Emergence of an Evolutionary Science of the Artificial. *Materiality and organizing: Social interaction in a technological world,* pp. 134-154.

Re-think through and for the senses. Growing design and design with materials

Over last decades the role of materials in design has undergone a significant transformation, starting as given entities upstream of the project became themselves something to design. The invention can therefore arise both from the quality of the idea as from the qualities of the material itself, in a convergence between design and science which gives rise to a dynamic process of socio-technological innovation. The contamination between different disciplines pushes the designer to overcome the current fragmentation of knowledge, bringing the results of scientific research out from libraries and laboratories, and making them accessible through artifacts, places, and services. The developments in the relationship between design and materials determine a condition of overdesign, offering at the same time the possibility to rethink the design approach, shifting from material selection to designing with materials. The paper illustrates through some examples how the material can become input into the creative process of invention, and how its experiential exploration allows the designer to minimize the gap between theory and practice and generate innovation. The design experimentation will require a hybridization between the deductive-logical-analytical methodology of the scientist and the designer's inductive-experiential-synthetic approach, with the aim of embedding in the project both the technical-performative and the aesthetical-perceptual dimension. In a world characterized by an increasingly hulking materiality, the design challenge is to rethink material culture by implementing a radical paradigm shift within the design culture, overcoming the linear and retrospective problem-solving approach, and placing design within a circular process of contamination between disciplines, through which imagine the possible alternatives to the prevailing paradigms, balancing the role of the individual with the system he is part of.

[perception, growing design, experiential learning, sensory experience, living materials]

Lorena Trebbi

PhD Student, Sapienza Università di Roma
> lorena.trebbi@uniroma1.it

Materials as input of invention

In recent decades research on new materials played ever more the role of "driving force of innovation" for the design culture, modifying the way we think about objects even more than the way we produce them (Manzini & Petrillo, 1991). The amplification of this interaction process between different disciplines led to new forms of hybridization – of methods and approaches – between design and science, with the goal of translating research advances into innovative products and visions (Carullo, *et al.*, 2017). In this scenario, design represents the synthetic discipline through which closing the loop of innovation attributing value and meaning to research (Lucibello, 2018), bridging the gap between the rapidity of innovation within scientific experimentation, and the long time of application of new materials in the industrial field. Today indeed, design has expanded its range up to the phases of conception and design of materials, not anymore given entities upstream of the project but themselves elements to design, through which stimulate and orient innovation. The hybridization between design and science however, entails the need of establishing new forms of communication between the two approaches – different but complementary – and overcoming the "language" difficulties (Ashby, 2002), combining the technical-productive aspects with the aesthetic experimentation on three levels: the level of perception, which re-examines the relationship with the senses; the level of meanings, which underlines the importance of cultural, artistic and conceptual aspects; and the level of creativity, which uses imagination to invent and create new scenarios (Ferrara & Lucibello, 2012).

Alongside the new design possibilities however, a condition of overdesign (Lucibello, 2009; Lucibello, 2018) that invests material and product is determined, which does not guarantee the necessary time for experience sedimentation, fundamental in determining the identity of new materials. Therefore, it is necessary to implement a transition from selecting materials for the project to designing with materials, overturning the traditional linear design process based on problem solving – starting from a need and transforming it into a product – and considering instead the material as primary input in the design process (Lucibello & Trebbi, 2018).

The approach of designing with materials, is grounded on the Project-Based Learning (PBL) methodology, which allows knowledge acquisition via the project – through which focusing the attention of the designer on issues and problems that lead to face with fundamental principles and concepts of materials science (Del Curto, Lucibello, & Trebbi, 2018). Through the design with materials approach, it is therefore possible to integrate the technical-productive features with the aesthetic-sensory experimentation, by hybridizing the deductive-logical-analytical methodology of the scientist, with the inductive-experiential-synthetic one of the designer, in a circular process which allows the designer to grasp the essence or "hidden character" (Ashby, 2014) of the material, vehicle of immaterial and sensory aspects that contribute to the overall quality of the product.

The centrality of the material as design input is the basis of the Material Driven Design approach (Karana, *et al.*, 2015), which considers the material not only for what it is, but also for what it does , what expresses, what elicits to us, and what makes us do, thus designing in the light of what Karana defines as Material Experience (Karana, *et al.*, 2014).
The involvement and interaction with the material plays a significant role in the cognitive processes, and the manual activity represents a tool through which "logically thinking through senses" (Nimkurlat, 2012), understand and learn through experience, and deepen the relationship between material, form and process through a practical investigation. This possibility has been further investigated with the Do-it-yourself materials, which highlight the importance of the contribution provided by the emotions – generated within the material's creation process – in inspiring the design process, unlike what happens when selecting the material from a pre-existing palette (Rognoli, Ayala Garcia & Parisi, 2016).
In the last few years are emerging new approaches to materials for design, with a shift from mere selection to direct experimentation, both in teaching and in the design practice, with the development of methodologies and tools for material exploration able to lead in many cases to innovative solutions and significant applications. Experimentation allows to gather information, understand properties, constraints, and potential of materials, promoting sensory awareness (Parisi & Rognoli, 2017) and developing knowledge through experiential learning.

Material exploration and growing design

The "making" of man, his design and production activity, has always been the result of a dialectic between ideas and matter (Manzini, 1991). The experiential knowledge of the material allows the designer to overcome the gap between theory and practice, understand and interact with production processes, experiment with perceptual features, imagine new applications and suggest new rules. Through the material exploration, opposed to analytical knowledge, arises invention. An example is the "Up" seats family produced since 1969, developed by Gaetano Pesce exploiting the distinctive features of polyurethane. The inspiration arose from the observation of the qualities of a shower sponge that, like the polyurethane seats packed in vacuum bags, could be compressed and then return to its original volume when released (Martin, 2017).
We can consider the materials as "collaborators in the craft process, as they were alive" (van der Leest, 2016), which is even more evident when the materials are actually alive as in the case of Growing Design (Camere & Karana, 2017). In recent decades indeed, designers started producing new materials harnessing the natural growth and reproduction processes of living organisms such as fungi, bacteria and algae, with the emergence of the new and unusual possibility of co-create with nature (Collet, 2017), shifting from the industrial dimension to the experiential one of self-production. Moreover, the times and modalities of growth and repro-

duction of such organisms appear to be faster and more efficient when compared to the current production system – based on the availability of raw materials which required geological times to form – and provide the opportunity to grow materials directly in the desired shape, simultaneously producing material and product.
Carole Collet, as part of the research project Grow-made textiles (2017), experimented the potential of mycelium by producing a set of different materials modifying growth conditions and parameters, and combining it with different kinds of waste such as vegetable fibers, coffee or agar agar, in order to obtain different performative and perceptive qualities.
Moving from scientific research to the industrial dimension, in recent years several companies have begun to develop and mass produce fabrics and materials, as in the case of "MycoWorks" vegetable skin (2017), produced with mycelium and agricultural by-products through a carbon-negative process. Since 2007, the American company Ecovative has developed a wide range of materials – flexible sponges, rigid foams, fabrics – also providing consumers with a grow-it-yourself kit for homemade self-production of materials (Ecovative, 2018). Being self-produced, low-tech and often open source, allows the designer to examine in detail the production process of these materials, and interact with it. This represents a new opportunity for the direct exploration of the material, not as a finished product, but something to manipulate, shape, and interact with (Parisi & Rognoli, 2017).
From the need to develop co-design strategies with living organisms – fungi, bacteria or algae – establishing a dynamic form of interaction between designer and material, intentional project and living systems' autopoiesis, can emerge invention, and the possibility of innovating and re-thinking the products that make up our material world. An example is the "Caskia - Growing a Mars Boot" project, realized by Liz Ciockajlo and Officina Corpuscoli; a biodegradable, feminine, and culturable in space MarsBoot, evolution of the archetype of the Tecnica MoonBoot of the early seventies, which embodies challenges and values of the twenty-first century (Montalti, 2017).
In 2016 the fashion designer Kristel Peters developed the "Growing Shoes" project for the "Fungal Futures" exhibition (Montalti, 2016), zero waste shoes made of fungal mycelium, modular, biodegradable and easily disassemblable. The project focuses on how currently even a simple pair of shoes has a very high environmental impact for carbon emissions, water consumption and the employment of highly toxic materials.
Sebastian Cox and Ninela Ivanova, created a series of simple furniture elements as part of the "Mycelium+Timber" project, with the aim of bringing these materials out of the conceptual phase and take them into our homes. The products are made of a composite material of wood waste and mycelium, elements that already have a form of relationship in nature which has here been exploited to bind the wood fibers together without using glues, reinventing the MDF in a sustainable key (Cox, 2017).

Senses, perception and experience

With living materials and the emergence of the Growing Design approach, the interaction between designer and material intensifies, and the experiential dimension linked to direct experimentation plays a fundamental role in the creative process. The novelty of these materials means that they are currently going through an exploration phase: while the technical-productive aspects have been indeed widely investigated, the perceptive ones linked to identity still appear uncertain and under experimentation. Perception is the result of cognitive processes that originate from sensations, and therefore the role of the senses appears essential in this exploration phase: people see, touch, smell and taste the world they live in.

In this sensory world, materials represent the most basic elements, and each material is equipped with a specific set of sensory attributes that interact with light, air and people around it (Schifferstein & Wastiels, 2014). Moreover, the sensory experience, unlike the cognitive one, is usually rapid, involuntary and multiform, and is able to significantly contribute to the aesthetic appreciation and to the whole experience related to the product. Despite this however, often priority is given to the visual aspects in the design process (the first form of interaction with the user), underestimating how the other perceptual modalities – touch, smell, hearing and sometimes even taste – acquire increasing importance during the use of products, in some cases overtaking the role of vision. The senses in fact, work simultaneously creating intermodal correspondences between different sensory stimulations (Schifferstein & Wastiels, 2014), which develop with perceptual learning creating associations between smells, colors and flavors.

Assuming as essential the role of the senses and perception, related to the concept of lateral thinking – the perceptual part of thinking, where we organize the external world by breaking it up into pieces that we can then "process" – it is possible to explore the sensorial and expressive potential of the new cultured materials through the approach of design with materials, which develops according to three main phases: observe and analyze the material to know and understand; explore the material through senses as input of the creative process; start the creative process that can lead to a new product, material or material scenario. The process followed is not, however, univocal and linear but rather circular, with the continuous reprocessing of the previous phases based on results and/or observations emerged from the subsequent ones, tracing an irregular and always different path, with jumps forward, steps backwards and changes of direction, determined by the variables involved (Lucibello & Trebbi, 2018).

Starting from the observation of materials, studying its characteristics at various scales, both from a technical-physical and aesthetic-perceptual point of view, is in fact a source of inspiration for the project, able to generate invention and re-think the paradigms of the material culture – emergent property resulting from our values, aspirations, and collective beliefs.

Re-thinking material culture

Currently, the human being has intervened in all aspects of the planet's ecology, making the natural and ecological systems socially influenced. In the Anthropocene geological era nothing in the world is totally natural, everything is influenced by the project, and everything can be re-designed (Ryan, 2014). Design therefore plays a fundamental role in re-thinking the artificial world, characterized by an increasingly hulking materiality, designing products embodied with new environmental values, and expanding the equilibrium condition of natural systems to the world of human production, turning the current economic system based on consumption, into a conscious, self-sufficient and environmentally responsible social system.

In nature everything is recycled, and the fruit already contains the seed through which recycle itself and produce other fruits (Munari, 1991). The natural world indeed develops through metabolic systems of nutrients where there is no waste, based on the equivalence waste equal food (Braungart & McDonough, 2002). One of the fundamental objectives to reach a sustainable development model, is then to become able to return nutrients taken from the environmental system in a form that can be used, shifting to production systems able to make the world more fertile instead of drying it up, and imagining materials and products that, like fruits, decompose at the end of their life-cycle returning nutrients to the soil. The new cultured materials therefore represent a precious opportunity since mycelium, bacteria and algae are inexhaustible organisms distributed in every part of the world, totally renewable and biodegradable, with a circular life-cycle. Experimentation on these materials can provide us a radically new perspective on how current production systems can be reinterpreted (Montalti, 2017), balancing the role of the individual with the ecosystem he is part of.

The aesthetic-perceptual aspect as a vehicle for socio-cultural values

The designer's ability to build scenarios and behavioral prototypes (Myers, 2012), assumes in the current scenario a fundamental role for the diffusion of new values in society. The aesthetics of the product, can indeed reflect the values and cultural dimension emanating from the socio-economic system, but it can in its turn gradually push the user towards new lifestyles and socio-cultural values. With the new living materials and the emergence of growing design, it is possible to go beyond the simple emulation of the natural world replacing the industrial systems with biological processes, promoting the awareness that there are no products but only systems, and including in the concept of product quality features such as carbon footprint, life-cycle, and resources employed, but also perceptive aspects, the ability to trigger new forms of interaction and restore human connectivity, or pressure to critical reflections on the current habits, systems and technologies, and on where the paths we choose can lead us in the future.

The perception that the user has of the products he uses or sees is influenced by a set of physiological, psychological and cultural factors (Zuo, Hope, Castle & Jones, 2001). These factors are determined by the sensory properties, the result of the relationship between physical variables of the materials and the user's psychological perceptions, and by intangible aspects linked to the "hidden character" of the materials as a metaphor for meanings, which acquire cultural connotation through the interaction with the user. The aesthetic-perceptual aspect, twist of material and immaterial characteristics, is able to influence behavior and thought patterns involving the user on emotional level (Zafarmand, Sugiyama, & Watanabe 2003), and can therefore actively induce and direct transformations and paradigm shifts within the social system.

In the case of growing design, the identity, the design opportunities, and the reception by users of these new materials, are still unexplored aspects. It will be fundamental in this investigation to avoid the use of such materials in a purely imitative form, and to define instead a specific identity through material exploration, experimentation on the perceptual-sensory qualities, and the stratification over time of this experience.

References

> Ashby M., & Johnson, K. (2002). Materials and Design. The art and science of material selection. *Product Design*. Oxford: Butterworth Heinemann.
> Ashby, M. (2014). Foreword: Materials Experience - Fundamentals of Materials and Design. In E. Karana, O. Pedgley, & V. Rognoli (eds.), *Materials Experience: Fundamentals of Materials and Design*. Oxford: Elsevier.
> Camere, S., & Karana, E. (2017). Growing materials for product design. *Paper presented at Alive. Active. Adaptive. EKSIG 2017*. Rotterdam: Delft University of Technology.
> Carullo, R., Cecchini, C., Ferrara, M., Langella, C., & Lucibello, S. (2017). From Science to Design the Design4Materials virtuous cycle. *The Design Journal*, 20(1), S1794- S1806.
> Chapman, J. (2014). Meaningful Stuff: Toward Longer Lasting Products. In E. Karana, O. Pedgley, & V. Rognoli (eds.), *Materials Experience: Fundamentals of Materials and Design* (p.p. 135-43). Oxford: Elsevier.
> Collet, C. (2017). "Grow-made" textiles. *Paper presented at Alive. Active. Adaptive. EKSIG 2017*. Rotterdam: Delft University of Technology.
> Cox, S. (2017). *Mycelyum+Timber*. Retrieved June 10, 2018, from http://www.sebastiancox.co.uk/lab
> Del Curto, B., Lucibello, S., & Trebbi, L. (2018). Innovation in Design Through Materials: the Project-Based Learning (PBL) Method. *Paper presented at INTED2018 - 12th International, Technology, Education and Development Conference*. Valencia: IATED Academy.
> Karana, E., Barati, B., Rognoli, V., & van der Laan, A. (2015). Material driven design (MDD): A method to design for material experiences. *International Journal of Design*, 9(2), 35-54.
> *Ecovative*. (2018). Retrieved (June 10, 2018) from https://ecovativedesign.com
> Ferrara, M., & Lucibello, S. (2012). Teaching material design. Research on teaching methodology about materials in industrial design. *Strategic Design Research Journal*, 5(2), 75- 83.
> Lucibello, S. (2009). Gestire l'iperprogettualità. In M. Ferrara & S. Lucibello, S. (eds.). *Design Follows Materials*, vol. 1, (pp. 80-86). Firenze: Alinea.
> Lucibello, S. (2018). *Esperimenti di Design - Ricerca e innovazione con e dei materiali*. Barcellona-Trento: LISt lab.
> Lucibello, S., & Trebbi, L. (2018). Il project-based-learning (PBL) method. In S. Lucibello (eds.), *Esperimenti di Design - Ricerca e innovazione con e dei materiali* (pp. 23-27). Barcellona-Trento: LISt lab.
> Manzini, E., & Petrillo, E. (1991). *Neolite - Metamorfosi delle plastiche*. Milano: Domus Academy.
> Martin, H. (2017, September 13). The Story Behind Gaetano Pesce's Iconic Armchair. *Architectural Digest*. Retrieved from https://www.architecturaldigest.com/story/the-story-behind-gaetano-pesces-iconic-armchair
> McDonough, W., & Braungart, M. (2002). *Cradle to Cradle. Remaking the way we make things*. New York: North Point Press.
> *MycoWorks*. (2017). Retrieved (June 10, 2018) from http://www.mycoworks.com
> Montalti, M. (2016). Fungal Futures. Retrieved (June 10, 2018) from http://www.fungal-futures.com/Growing-Shoes-1
> Montalti, M. (2017). Caskia. Retrieved (June 10, 2018) from http://www.corpuscoli.com/projects/caskia/
> Montalti, M. (2017). Growing fungal futures. *Alive. Active. Adaptive. EKSIG 2017*. Rotterdam: Delft University of Technology.
> Munari, B. (1991). Ciclo, riciclo e riuso. In E. Manzini & E. Petrillo (eds.), *Neolite - Metamorfosi delle plastiche* (p.p. 94-95). Milano: Domus Academy.
> Myers, W. (2012). *Bio Design*. New York: The Museum of Modern Art.
> Nimkulrat, N. (2012). Hands-on Intellect: Integrating craft practice into design research. *International Journal of Design, 6*(3), 1-14.
> Parisi, S., & Rognoli, V. (2017). Tinkering with Mycelium. A case study. *Paper presented at Alive. Active. Adaptive. EKSIG 2017*. Rotterdam: Delft University of Technology.
> Rognoli, V., Ayala Garcia, C., & Parisi, S. (2016). The emotional value of Do-It-Yourself materials, Celebration & Contemplation. *Paper presented at 10th International Conference on Design & Emotion*. Amsterdam.
> Ryan A. J. (2014). A Framework for Systemic Design. *Akademisk*, 7(4), 1-14.
> Schifferstein, H., & Wastiels, L. (2014). Sensing Materials: Exploring the Building Blocks for Experiential Design. In E. Karana, O. Pedgley, & V. Rognoli (eds.), *Materials Experience: Fundamentals of Materials and Design* (p.p. 15-26). Oxford: Elsevier.
> van der Leest, E. (2016). *Form follows Organism. The biological computer*. Megan Hoogenboom.
> Zafarmand, S. J., Sugiyama, K., & Watanabe, M. (2003). Aesthetic and Sustainability: The aesthetic attributes promoting product sustainability. *The Journal of Sustainable Product Design*, 3, 173-186.
> Zuo, H., Hope, T., Castle, P., & Jones, M. (2001). An investigation into the sensory properties of materials. *Paper presented at Second International Conference on Affective Human Factors Design*. Singapore.

Methods, phenomena and performative inventions

Since the first Industrial Revolution, project work followed deterministic methods of invention, which were later questioned together with the rationalist structures of thought. French's reflections on maieutic methods document the critical reading of operational criteria in large laboratories, anticipating the return to the search for ideas through the free flow of lateral thought. In the last decade, fortuitous invention was fuelled by cross-disciplinary references. To this end, as well as understanding the conditions of context and operational dynamics, philosophers and sociologists have studied the various phenomena of invention. Dasgupta compared readings of the methods of the creative process, Wiener investigated the role of the individual and the context to which he belongs in the development of the inventive process, Sennet introduced the concepts of cultural materialism, dynamic repair and intuitive leap: the text proposes a catalogue with iconic examples of design projects.
Amongst the most up-to-date processes there is the transdisciplinary approach to the project, presented through personality of a designer who develops the knowledge related to the original training as physician and sportsman, inspired by existing techniques and materials for which it defines appropriate alternative uses. Handy lights, tactile sensations, unusual lightness, alternative uses as aids, are examples of inventiveness, as interpretations of existing technological properties for new directions of evolution. Both in cases of transposition of uses and metamorphosis, it may be crucial to share inspirations from different areas, nonetheless connoting the design project and thus making it meaningful.

[metamorphosis, inverse process, intuitive leap, dynamic repair, transdisciplinarity]

Renata Valente

Associate Professor, Università degli Studi della Campania "Luigi Vanvitelli"
> renata.valente@unicampania.it

The dynamics of the project's inventiveness have always stimulated the search for operative methods, deterministic in the positivist era and stochastic following the theoretical revisions of thought from the second half of the 20th century. Each time both ethical or epistemological questions and the very organisation of work are involved. A reconnaissance of comparing aspects and results allows us to place current trends with respect to the contemporary historical panorama. The coexistence of several methodologies determines a scenario of manifestations, for which philosophers and sociologists identify different processes of invention through the phenomenological approach. A selection with examples of iconic design projects is presented.

Methods of invention

Since the 19th century, critical reflection on invention has seen the development of a methodology aimed at stimulating the creative process, typical of large industrial research laboratories and which, together with the latter, has developed over time; it has since been called into question together with the rationalist structures of thought. In this regard, in 1988 Michael French reflected on the association of the concepts of convergence and conformity, a tendency to follow fixed procedures rather than divergent lateral directions. He observed the discrepancy between the ideas of scholars such as Poincaré on invention as a choice of combinations based on aesthetic principles, the most widespread psychological tests and the terminology that associates creativity with divergence. Hoping for the invention of a sieve as a maieutic aid to the search for ideas, French compared "Synectics" by W.J.J. Gordon (1961) and "Applied Imagination" by A.F. Osborn (1953). The first author indicated four psychological states, connected to creative problem solving: detachment, followed by involvement; deferment by premature attempts at solution; theoretical speculation; emergence of a project philosophy. Osborn's book, on the other hand, introduced brainstorming, a search for quality through quantity, as well as approaches to switching between uses, adaptation, modification, magnification and minimization, substitution, rearrangement, opposition, combination, list of attributes and different arrangements of project components.
Today, with even more critical positions than the determinist criterion, philosophers like Serres and Didi-Huberman explore the fortuitous aspects of the investigation process and «the disorientation of the accidental that makes the very substance of the path appear» (Didi-Huberman, 2011).

I do not know of any method that has ever paved the way for any invention; nor of any invention found by method. On the contrary, the risk generated by the exodus, the opposite term to the method, goes towards bifurcations sometimes rich in unexpected information [...] Exemplarily inventive, the Great Story follows in fact the serendipity. (translation from Serres, 2016, p. 114)

Also MIT's "Magazine of Innovation" in 2004 proposed that the beginning of the 21st century should bear witness to «the invention of a new method of invention» (Buderi, 2004). In those years Nathan Myhrvold transformed the inventive process again (Schwartz, 2004), interested in how ideas were generated. Considering the economy in the fourth phase of innovation, in which large research groups lose ground and revolutionary inventions come from individuals, in his Invention Factory (later Intellectual Ventures) he stimulates fortuitous discoveries, increasing cross-fertilization, while researchers in large laboratories work in defined and circumscribed areas, judged as potentially less fruitful (Schwartz, 2002). In the same context, inventor Kurzweil describes the life cycle of an invention in seven phases: the precursor, the invention, the development, the maturity, the false imitators, the obsolescence and the antiquity, underlining the value of dedicated teams and the advantages offered to the inspiration by the interdisciplinarity (Kurzweil, 2004).

Phenomenology of the invention

The philosophical and sociological reading of the phenomena of invention offers stimulating visions and inspirations for the speculative dimension of the design project, contributing to the cultural framework of research and work. In 1994, Subrata Dasgupta investigated creativity in the invention and design of artefacts; on the metaphors of creativity she referred to Koestler's "The Art of Creation" (1964) for which under every creative act there is a mechanism called "bisociation", which «connects matrices of previously disconnected experiences» represented by geometric elements, that is habits, abilities or patterns of behaviour. Also the examination reported also Hadamard's reflections (1945) with the four phases of the creative process: preparation, which studies the problem from all points of view; incubation, in which the problem passes from the conscious to the unconscious, but an involuntary process of reflection can take place; illumination, when, again involuntarily, the solution is found; verification, in which the consciousness is recovered to verify the solution. Dasgupta argued that creativity was not a deterministic phenomenon, the nature of each creation being contingent, and that no theory of creativity could be predictive, but explicative, described by computational procedures, implying its relations with the philosophy of science.

Norbert Wiener (1993), on the other hand, in assessing the human and cultural factors in the process of invention, investigated the underground channels where ideas remain latent for a long time, to then suddenly emerge. He identified four important moments in the inventive process: an intellectual climate, the existence of appropriate materials and techniques, a favourable social context and a favourable economic climate. Wiener referred to the classical Greek and Renaissance periods as examples of social and cultural conditioning for creativity, observing that «One of the most interesting social considerations in the sociology of inventions is that of the interplay between craftsman element and the purely scientific element» (p. 61). In referring to the American industrial tradition of the great scientific laboratories, he noted how

such research, organized with precise tasks for the various scientists, was not easily referable according to the changing needs of the world of ideas.
The author also defined the inverse process of invention, identifying what to do with new instruments with potential in various directions to choose from. This ethical question arose particularly during the war phase of the study of atomic energy and is still valid today on the directions and frontiers of technology.
Richard Sennet (2008) has also deepened the relationship between invention and craftsmanship: defining cultural materialism, he argues that thought and feeling are both contained in doing. This is related to invention, for «the intimate link between hand and head» and «Technical intelligence develops through the faculties of imagination» (*ibid.*, pp. 18-19 translated by author). Sennet identifies three phenomena as forms of "material consciousness": metamorphosis, change of a procedure of a type-form or of a use, presence, with the author's mark, and anthropomorphism. In relation to the "arousing tools", he introduces the concept of dynamic repair, when, in restoring something, changes that introduce new functions and meanings are made. But among Sennet's most interesting theses on the invention there is the concept of intuitive leap, the attention to the tools that stimulate it and its relationship with dynamic repair. He explains that the jump takes place in four phases. The specialised practice of the craftsman prepares the ground for the unexpected: intuition springs up thinking of something that does not exist, for new potentialities. The unconventional dynamic repair reformats the instrument or the problem; the next phase brings dissimilar domains closer, while in the third phase tacit knowledge is brought to consciousness, even with technological transpositions. Finally, the imaginative experience is stimulated towards productive results. The intuitive leap recalls Pierce's abduction, a lateral thought that travels through imaginary risks (Zingale, 2012), according to the theory that invention moves through images through the recognition of similarities between forms and relationships.

Inventions and design

The language of design connotes in a multiform manner these different declinations of the idea of invention with virtual or technological projects, up to the symbolic poems of the Italian material culture. Methodological indications, tactical models, are references to a reflective creativity, critical and sometimes subversive of conventional social structures: this is the added value required to design in contemporary disorientation. The definition of "connection of disconnected experiences" (Koestler) refers to the design of services, a systemic design approach for the quality of interaction between people, infrastructures and objects. The "inverse process of invention" (Wiener), on the other hand, recalls that of Arthur Fry's "Post-it®", an employee of 3M, who in 1974, to stick the notes on his scores as an amateur chorister, used the inadhesive glue developed by Spencer Silver in 1968. "Dynamic Repair" (Sennet) is close to Wilson Greatbatch's pacemaker project. In 1956, when developing an animal heartbeat recorder, he realized that an unsuitable transistor was emitting electrical

impulses instead of just recording them. A similarly fortunate technological failure led to the "Walkman" project in the mid-seventies, when Sony wanted to produce a small recorder for journalists, but managed only to miniaturize the reproduction function. The intuition of Masaru Ibuka and Akio Morita was to propose a non-existent use that revolutionized the way of listening to music; the design action used the unexpected and the difficulty as instruments, extending the scope of the project to lifestyle.
A change of procedure is also the unconventional use of methacrylate by Joe and Gianni Colombo in 1962, in the design of the lamp "281 Acrilica". Here the high «curved thickness allows, thanks to the conductive properties, the light of a fluorescent bulb contained within the steel base to go up along the transparent body» arriving to illuminate the upper band and proposing a new idea of brightness. Another modification of the use of a typical shape is "Q-drum", by Hans and Pieter Hendrikse, produced by Kaymac Rotomoulders and Pioneer Plastic in 1993, a portable tank in the shape of a polyethylene wheel, which allows water to be transported to populations far from the springs in sub-Saharan Africa.
A first example of metamorphosis that determined an iconic object was the invention of the *attache*, or clip, paper clip. Until the mid-nineteenth century, metal pins were used to hold some sheets together, piercing the paper and subject to oxidation. The turning point was the process of economic industrial production of steel, in thin and elastic wire. The patent for William Middlebrook's project, dating back to 1899, refers to the machinery used to produce the clip, which was then sold to Cushman & Denison, who marketed the "Gem clip" in 1904. The object, result of the invention, solved a problem through a new material and a new technological process, with a change of shape and performance derived from the ease of automating three bends and aligning the sharp ends of the wire. A more recent project of metamorphosis is the design process of the 1968 "Sacco" chair by Gatta, Paolini and Teodoro for Zanotta, where form, use and the archetype itself are questioned every time by the user and the designers. This happens even more exasperatingly with the 1971 "Pratone" chair by the Strum group for Gufram, where also in this case the polymeric materials stimulate experimentation.
If the concept of evolutionary development is reported by Roy & Cross in the example of the hovercraft project (Rothwell & Gardiner 1985), the fortuitous interdisciplinary inspiration recalls the case of the microwave oven, invented by Percy Spencer in 1946 realizing that the candies in his pocket had melted next to a radar valve.
While the interdisciplinary contamination of bio-inspired design is a well-established practice, cause and effect of the development of materials science that generates projects with performances borrowed from living organisms, reflections on divergent and lateral creative thinking (French and Osborn) refer to projects started as shifts in use. Many are spontaneous, like the appearance of the Frisbee from the playful use of the packaging of a takeaway cake, others are refined and iconic gestures of design, like the centrepiece of 1958 by Enzo Mari for Danese, "Putrella", a slice of semi-finished steel, flexed for its domestic use. This condition of lateral transposition of the meaning

of a project is a tradition of design. Achille Castiglioni has interpreted it in various precious ways: from the rethinking of the concept of the bookcase, with the project "Joy" in 1989 for Zanotta – where the morphological transformability makes the object simultaneously seat, volume, series of shelves – to the use of the car headlamp in the "Toio" lamp of 1962 for Flos, a fulgent example of ready-made. This approach also animates the 1957 design of "Mezzadro", produced by Zanotta, where the use of a tractor seat is changed, or of "Sella", a milker's stool evolved for domestic use, projects that are among the noblest archetypes of Italian design.
In line with these transpositions of uses, more recently the folding seat "Guendalina" by designer Giulio Gianturco (inspired by the hunting stools, produced by Fizan), has been used as a third support for people with reduced mobility, allowing them to do exercise unloading part of the weight, working with balance to avoid overexerting the legs and allowing to train even muscle groups which are not normally stimulated.

Transdisciplinarity and contemporary inverse processes
The work of Gianturco offers cues to reflect on the fertile contamination between different disciplines. Designer stimulated by the reinterpretation of objects basing on his experience as a doctor specialized in thermal clinic, medical hydroclimatology and phlebology, he is trained in the attention to the individual and his relationship with the products. He has also drawn inspiration from the world of sailing and practical knowledge of the materials in his projects tested in the workshop, where he chooses the appropriate techniques for the realization (Marson, 2011). Characterized by a technical-practical vision oriented towards a requirement-performance approach, in designing the first pieces for very small productions he imports the use of 316L stainless steel. This has always been used in the marine environment and for surgical instruments, due to its resistance to acids and saline solutions. Gianturco introduced this choice, which was then adopted by all manufacturers, and created the first stainless steel taps for domestic use, first with Boffi and then with Cea. Many objects have been rethought with this material: "Minimal", taps and bathroom accessories, as well as the the fire extinguisher covering "Fire" for Boffi; "Thermae", a line of taps dedicated to spas for Fantini, as well as a series of handles for furniture for Pamar.
Derlin, an acetal resin with low moisture absorption, chemical resistance and dimensional stability, is a semi-crystalline thermoplastic material with high rigidity and toughness. Resistant to hot water, solvents and use, with characteristics similar to Teflon, it suggested to Gianturco the design of a shower head and a dispenser for Boffi in the early 2000s. The aluminium alloys with particularly strong characteristics, also used in the aeronautical field, allow him the design of a light and disassemblable bicycle, with carbon fibre fork, in production since 2015. The curiosity for the performance offered by Corian instead stimulates the collaboration with Rexa Design for a bathroom project where the forms integrate functions for a synthetic expressive language.

Technogel, based on polyurethane, combines deformability and shape memory, absorbs and distributes pressure evenly; it is soft, flexible, printable and breathable. With its colour and customizable durometer, it is often used to seal and absorb shocks, but Gianturco has chosen it for both "Soft" mats, which offer sensations to the eye and touch thanks to their translucent appearance and elasto-mechanical properties, and for "Adele", a high-tech rechargeable LED cordless lamp. In this project the control electronics and LEDs are incorporated in the gel for which the manufacturer has studied the right shore, UV protection and elastomeric paint, even allowing to wring the lamp. Another analogous sensory use is in the "Hugo" tray, wireless charging base characterized by the unexpected contrast between Iroko wood and Technogel, object able to load three different devices simultaneously, always designed for 8-light. The soft coating, with LED lights that signal the state of charge, protects the devices from scratches and the possibility of slipping with expensive consequences. Handy lights, tactile sensations, unusual lightness, alternative uses as aids, are examples of inventiveness as an interpretation of existing technological properties to which to attribute new directions of evolution.
Operatively declining the concept of transdisciplinarity, according to Piaget's definition evolved by Nicolescu, Morin and De Freitas in 1994 (Nicolescu, 2014a, 2014b), the approach to the integrated understanding of the real can finally lead designers also to invent crossing borders, to experiment with materials and completely innovative processes, through biology, chemistry or advanced techniques of reproduction, expressing sensitivity to the dynamics of the environment according to a concept of a neomaterial project where «they appear to affirm, through a plurality of ways, the value of a free invention of one own material world» (La Rocca, 2016, translated by author).
Both in cases of transposition of uses and metamorphosis, it may be crucial to share inspirations from different areas, nonetheless connoting the design project and thus making it meaningful. In the panorama overcrowded with artifacts and sometimes useless messages, taking on the task of showing different horizons, distant realities, messages beyond the use of objects, is the direction to be taken, to concentrate performance, meaning and performative added value in special daily stories.

References

> Buderi, R. (2004, 1 May). Reinventing Invention. *MIT Technology Review.*
> Dasgupta, S. (1994). *Creativity in Invention and Design.* Cambridge (UK): Cambridge University Press
> Didi-Huberman, G. (2011). *La conoscenza accidentale.* Torino: Bollati Boringhieri.
> French, M. (1988). *Invention and Evolution: Design in Nature and Engineering.* Cambridge (UK): Cambridge University Press.
> Gordon, W. J. J. (1961). *Synectics: The Development of Creative Capacity.* New York: Harper
> Hadamard, J. (1945). *An Essay on The Psicology of Invention in the Mathematical Field.* Princeton University Press US: Dover Publication inc.
> Koestler, A. (1964). *The Art of Creation.* London: Hutchinson and Co.
> Kurzweil, R. (2004, 1 May). Kurzweil's Rules of Invention. *MIT Technology Review.*
> La Rocca, F. (2016). *Design e delitto Critica e metamorfosi dell'oggetto contemporaneo.* Milano: Franco Angeli.
> Marson, E. (2011). Quando la scienza contamina il progetto. *Ottagono*, 62-65.
> Nicolescu, B. (2014a). *Il manifesto della transdisciplinarità.* Messina, IT: Armando Siciliano Editore.
> Nicolescu, B. (2014b). Multidisciplinarity, Interdisciplinarity, Indisciplinarity, and Transdisciplinarity: Similarities and Differences. *RCC Perspectives, N.2.* Minding the Gap: Working Across Disciplines. *Environmental Studies*, pp. 19- 26. Rachel Carson Center, retrieved from https:// www.jstor.org/stable/10.2307/26241230.
> Osborn, A. F. (1953). *Applied Imagination: Principles and Procedures of Creative Problem-Solving.* New York: Charles Scribner's Sons.
> Petroski, H. (1996). *Invention by design: How engineers get from thought to thing.* Cambridge, US: Harvard University Press
> Poincaré, J. H. (1997). *Scienza e metodo*- Torino, Einaudi.
> Rothwell, R. & Gardiner, P. (1985). Invention, innovation, re-innovation and the role of the user: A case study of British hovercraft development. *Technovation*, 3: 3, 167-186.
> Schwartz, E. I. (2002, 1 May). The Invention Factory. *MIT Technology Review.*
> Schwartz, E. I. (2004, 1 May). Sparking the Fire of Invention. *MIT Technology Review.*
> Sennett, R. (2008). *The Craftsman.* New Haven (US): Yale University Press.
> Serres, M. (2016). *Il mancino zoppo. Dal metodo non nasce niente.* Torino: Bollati Boringhieri.
> Wiener, N. (1993). *Invention: The Care and Feeding of Ideas.* Cambridge US: MIT Press.
> Zingale, S. (2012). *Interpretazione e progetto. Semiotica dell'inventiva.* Milano: Franco Angeli.

Make gallery

Hot Wire Extension, Sudio Ilio, 2016.

Make gallery

Inventing materials and processes

From the invention as an interpretative activity that animates every phase of the design process, projecting the thought towards new "imaginations", the inventing material and processes gallery outlines the "Design as inventor phenomenon" where "materials" and "processes" evolve between knowledge, experimentation and design applications. The inventions of new interpreters and the constantly renewed methods of use reinvent the relationships between people and objects.

The materials and processes suggest, in their organicity, new ways of life. It is something that awakens the attention which opposes needs and at the same time provokes and triggers them (Bonfantini, 2000). The gallery's storytelling is made through images that describe, interpret and transmit the emerging heritage generated by the new proliferation of matters and their flexible identity in which custom-designed materials echo. They can be configured in the most diverse ways and are able to convey any image related to "doing", "perceiving" and "producing". The story goes through mental scaffolding, combinatorial games of images and concepts, material variations and formal experiments, an unusual hybridisation in which different messages and languages for "history" and "identity characters" add up, undertaking "voyages of discovery". A journey into the "memory" of design and inventions, where one can "see" the thoughts and constructs of designers, the fruit of imagination, invention and creativity, and "imagine" possible or impossible alternatives through representations of virtual and material processes, fantastic and concrete. A common thread emerges from the narrative structure, intertwining the stories in which the discipline of design is configured as a creative process that feeds the inventive character of design knowledge through recombinatory game in order to adapt effective responses to new needs. This is what Pierce defines as the cognitive process that from perception to complex thought generates final interpreters and response patterns projected into the future.

Sonia Capece

[transformation processes, the matter created, folding skills, inventing food, digital waste]

01

Transformation Processes

>

Processes and materials are actively nourishing the inventive character of design knowledge in order to experiment and transform mental architectures into tangible objects. The form is concealed in matter and comes to life in the heterogeneity of new production processes, capturing them within organic and geometric, terse and opaque structures.

02

03

01 *Equilibrium Console*, Guglielmo Poletti, 2016. Table from the Equilibrium series with a structure that is both simple and complex, challenging the physical qualities of materials.
02 03 *Algae Glass*, Eric Klarenbeek and Maartje Dros, 2017. Bioplastic made of algae that can be used in 3D printing. The algae are harvested, dehydrated and processed into liquid bioplastics.
04 *Thread Wrapping Architecture*, Anton Alvarez, 2014. Device capable of joining different types of materials with glue-coated wires without using traditional methods that require long assembling times.

04

01

The Matter Created

>

From artificial to natural, Design, Science and Technology recontextualize and transport the matter to different levels, creating new "multi-material" dialogues and new connections between sound and light, mass and strength, stiffness and flexibility; mechanisms in which solid, fluid and gaseous states of organic and inorganic materials are composed into open and evolving shapes.

02

03

01 *Material Alchemy*, Anna Neklesa, 2017. Material experimentation, "living cotton" that reacts to the human skin and from which it is possible to create a fabric that interacts with the human being and the environment, changing its shape and position.
02 *Bio-light*, Philips, 2001. Sustainable lamp that produces light due to the action of luminescent bacteria, totally independent from electricity in a power-saving perspective.
03 Prototype of a chaise-longue made from liquorice root and fish glue in jelly sheets, 2017, E. Fiocchetti, M. Forlucci, C. Ronchi, A. Zampieri (students-designers from the Three-dimensional Design course at University of Studies of the Republic of San Marino, held by Professor Riccardo Blumer).
04 *Gemini*, Neri Oxman, 2014. Chaise-longue made in part with 3D printing and designed to replicate the tranquility of the womb with particular attention to comfort and sound absorption.

04

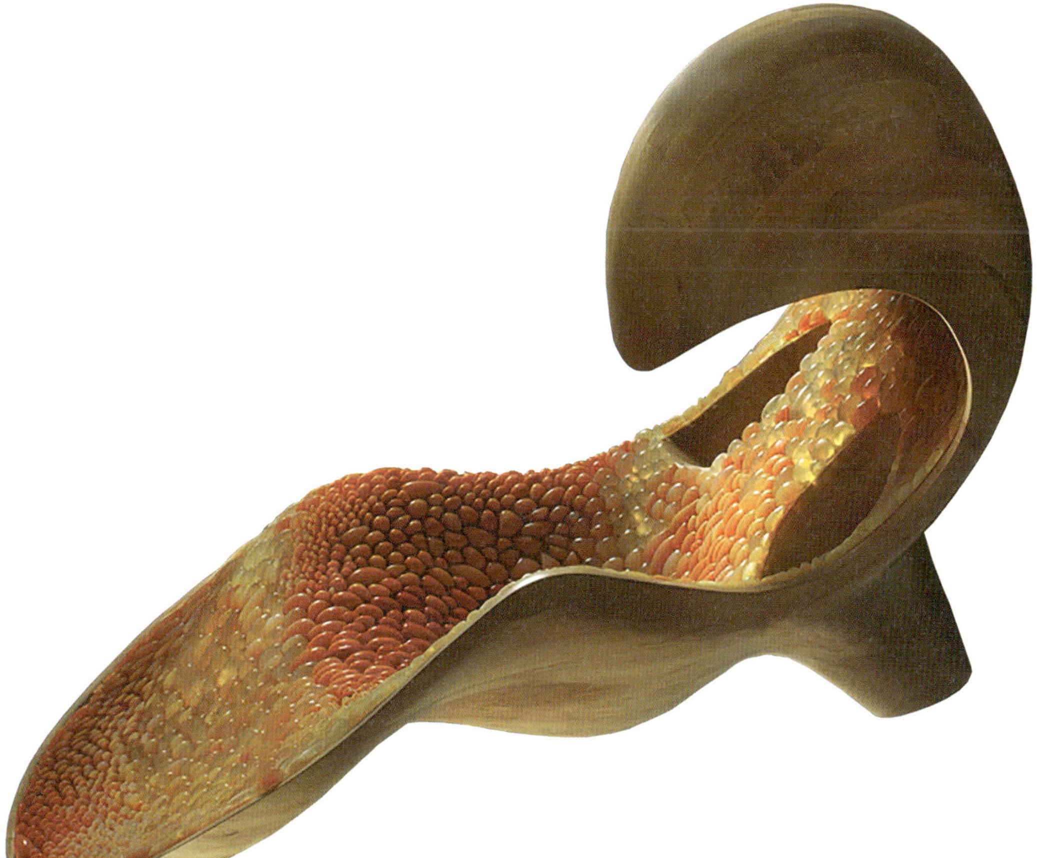

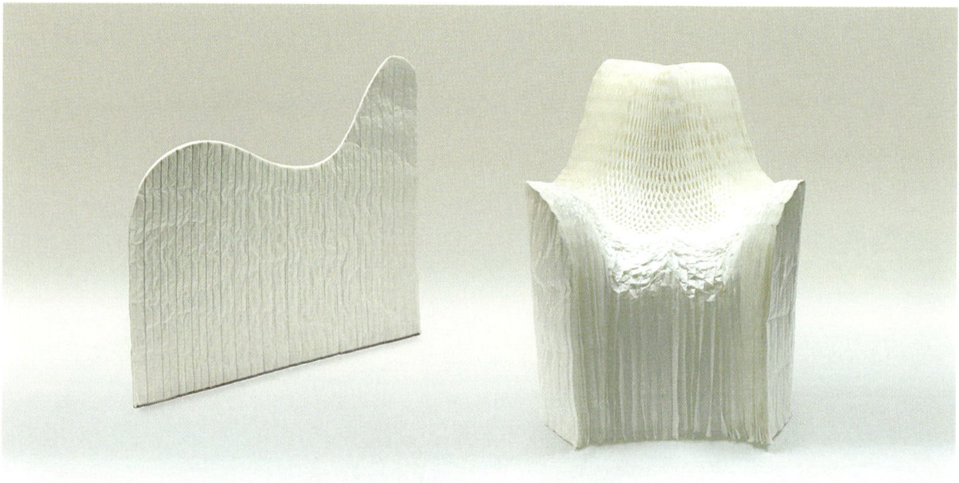

01

Folding skills

>

Design acquires an alchemical vocation in order to give new responses and to search for the limits and the possibilities of transforming matter that reveal a continuity of thought and research interconnected through the many components: shape, light, movement, lightness, technology, human endeavor, programming, unpredictability. Natural formations and aggregations bend and undulate, creating sensations of lightness and movement in order to configure changing and flexible objects in transformable spaces.

02

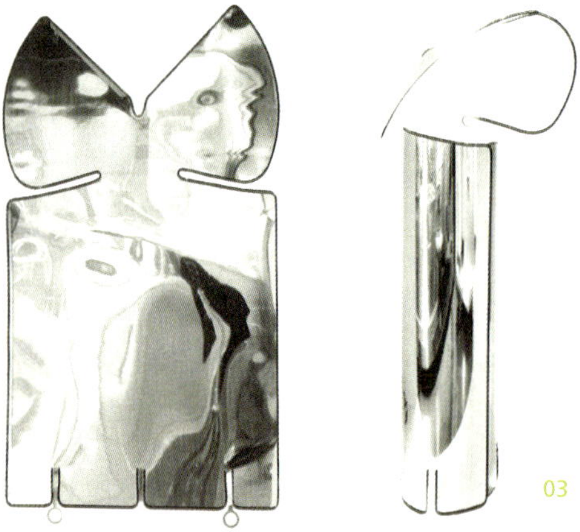

03

01 *Honey-Pop Armchair*, Tokujin Yoshioka, 2000. Seat made of paper sheets that transforms from a flat figure to a three-dimensional structure.
02 Detail of *women's knit*, Iris van Herpen, 2010. From the *Crystallization collection* made through computer modelling and fast prototyping.
03 *Chiara*, Mario Bellini, 1967. Floor lamp made from a single sheet of stainless steel, cut and bent in order to form the base and diffuser.
04 *Concave-convex*, Bruno Munari, 1947. Work built with a square metallic mesh that assumes different plastic shapes reminiscent of natural shapes.

04

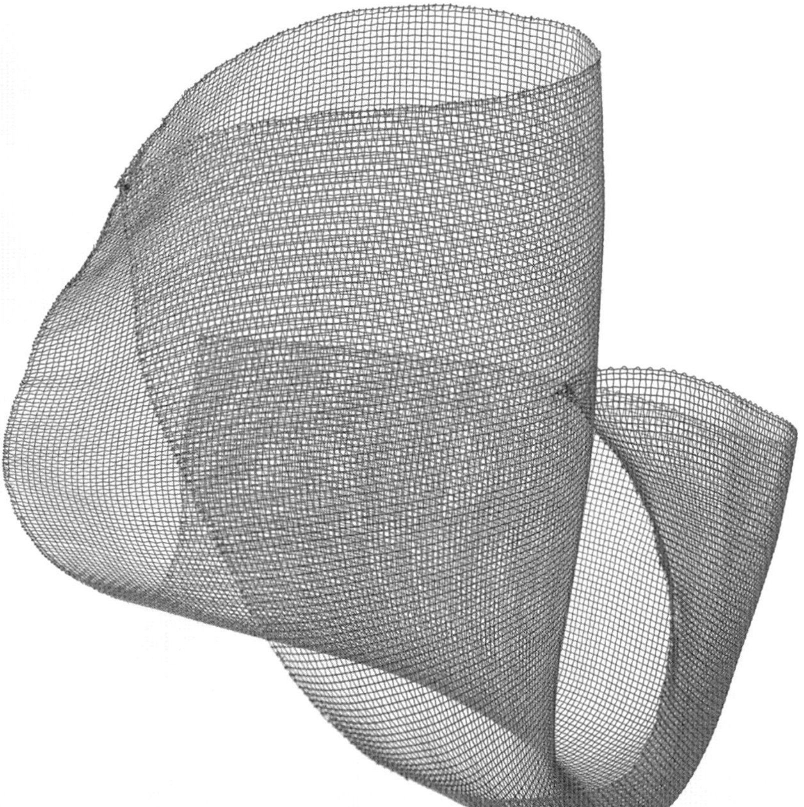

01

Inventing food

>

Starting from the connections between past and future, the gallery illustrates how design combines creativity, curiosity and inventing skills in order to create "food" with shapes and authentic processes. "Self-transforming" and "augmented" food, envelopes of synaesthetic emotions that cleverly combine the latest generation of robotics, light-shaping technology and digital information.

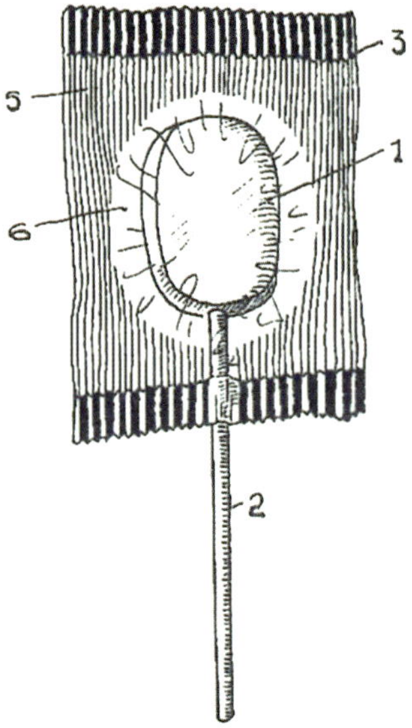

02

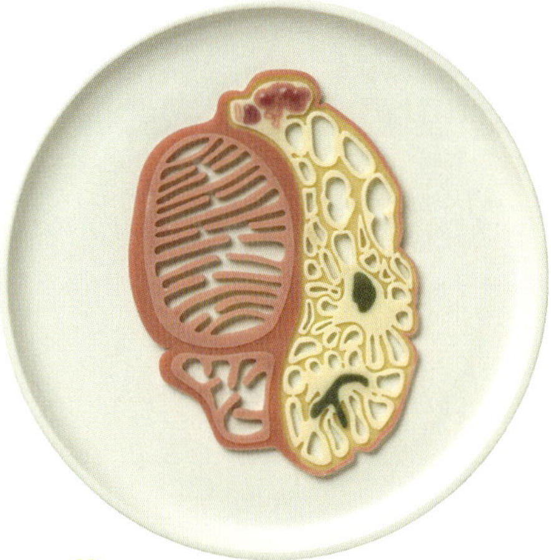

03

01 *This Too Shall Pass*, Tomorrowmachine, 2014. Eco-sustainable packaging made from biodegradable materials.
02 *Patent n. 58782*, Candy packaging sachets, Elah S.p.a., 1956, Genova.
03 *Dressing the Meat of Tomorrow*, James King, 2006. In vitro meat production that enables the generation of edible meat "harvested" in laboratory from sample cells.
04 *Déguster l'augmenté*, Erika Marthins, 2018. "Animated" food experience: an edible jelly dessert that moves through robotic technology.

04

01

Digital waste

>

The iconographic narration raises awareness on the neglected and critical environmental issues of our time – such as the compulsive growth of electronic waste, the programmed obsolescence of devices, the export of technological waste – and how can design reinterpret and invent new solutions from electronic waste by transforming resources and exploring innovative processes that revolutionise consolidated cultural, social and production logics and "practices".

02

01 02 *B/NdAlTaAu*, Revital Cohen & Tuur Van Balen, 2015. Project for the reconfiguration of an artificial mineral extracted from a series of destroyed hard disks.
03 *Ore Streams Cabinet*, Studio Formafantasma, 2017. Trasparent glass cabinet, created from alluminium computer cases, recycled and embellished with digital prints.

03

Focus

Focus gallery > p.158/p.171

The importance of being human

Can the designer, and especially the Interaction Designer, become an inventor, creating a differing narration? Verisimilitude and suspension of disbelief are two essential paradigms to fully enjoy films or web series. One could object that these forms entail a vision which is passive rather than, at the moment, not comparable to the daily interaction with design, not even in the most advanced solutions of virtual reality. Future products start to be accepted and discussed precisely through those forms, the humanoid robots that appear in the more optimistic digital visions (Arcagni, 2016), or, on the contrary, mistrustfully considered when the future is dystopian like in the well-known Black Mirror series. In the Interaction Design process, the *Personas* already own strong narrative features, but they are used as a control tool of the project that takes shape long after their creation. If the product was one of characters of a film, it would be hidden for most of the film. A plot could work for the representation of some research, or for a psychological training novel, but it is not useful when relations are the focus.
The article therefore, discusses the use of characterisation, not only of the future users of an interactive device, but of the interface itself, starting from the concept phase. This ongoing experimentation is not just a mere expedient of process; it is, instead, the activator that generates projects that deal with complexity and sustainability, not only of the individual life but especially of the collective one, whether it is inside a house or on a shared means of transport. In this way the relations, or better the contrasts following the rules of Hollywood, give rise to new stories to create a narrative interaction.

[invention, interaction design, design experimentation, technological imaginary, user experience]

Andrea Di Salvo, Paolo Tamborrini

RTDa, PhD, Politecnico di Torino
Associate Professor, Politecnico di Torino
> andrea.disalvo@polito.it
> paolo.tamborrini@polito.it

Narration as a tool

One of the most critical steps in Interaction Design process is the concept generation phase. It can be often interpreted as a brainstorming phase using techniques that are more or less structured, or if it derives from a performance-based approach, it tries to summarise the new functionalities to be included in the project. The aspect relegated to the background, as if it were part of a formal language to be later deepened, is the dialogue that is established between human being and digital artefact, rich of relations and based not only on human behaviour, but also on the digital, visible, audible, tactile or silent behaviour of the interface. These aspects re-emerge strongly when the project needs to be communicated using forms and narrative models like the medium-video. The study of the communication can therefore correspond to the last evaluation step in which necessity, gestures and contextual elements that were taken for granted, are manifested. This happens because the story must respect, at least during the use of the product, the paradigm of the verisimilitude. The analogies between communication project and storytelling are many and in the case of videos, as in the design process, every single element needs to be meticulously designed, like the characters and the actors that will perform, the props and the relations that will arise, from what is to the implicit ones that have to be understood cognitively through the inferences. Is it possible to apply the rules of film writing to the design process or consider design as fiction?

The aim of the article, and of the ongoing experimentation at Politecnico di Torino, is to study the evolution of the process that leads to the interface definition, focusing on the concept phase, designing the behaviours and relations based on a user experience narrative. In this way it will be possible to evaluate the use of the models of cinematographic writing, and of storytelling in general, to obtain an invented, divergent vision that anticipates the design phase. To date, the experimentation projects are interfaces designed for the continuous communication, a plastic bottles compactor, a self-drive vehicle.

The choice of the video as a model derives from the increasingly widespread use of this medium by designers; however, the distinction is the objective and the moment when the narration takes shape. The countless examples found on the web can be categorised depending on when they were realized: at the end of the project to promote it, make its function explicit or simply making it real; during the process to transform it into a discussion tool. In the first case the video is considered as an opportunity when the project is concluded, at that point other designers work on its ideation and realization. This is a common procedure when the dimension of the project requires the participation of many disciplines. Usually the result is a video that uses the structures and languages of a spot and, for a matter of duration and immediacy, the protagonists, if present, will not represent the reference users. Testimonials or stereotypical character will be hired, certainly not an archetypical *Persona*. Instead, if the video is managed by the same

designer group, the result will be a film about the functions of the product/service. A kind of tutorial with tight rhythms. In the case of the spot, the narration study will unlikely generate useful feedback for the project, the two processes appear deeply disconnected; the creation of a storyboard based on the gestures and the behaviour of the tutorial actors, instead, reveals itself as a useful tool to verify all the relational aspects. The storyboard can undoubtedly be used also during the previous phases of the project; however, our perception is that, if there is not a communicative goal, it risks stranding only on the functional aspects, that can be considered as narrations, but without the need of inventing stories which is peculiar of writing. The real divergence of approach occurs when the video tool is used during the process in the problem definition phase; it's a real methodology called Design Fiction (Bleecker, 2009). The aim is to immerse the stakeholders and the community present in the territory in a scenario with visionary features able to generate dialogue and data about the reactions it provokes. It is therefore a way that crosses the *hic-et-nunc* limits that the complex projects are facing, it is an interesting approach from an ethical point of view, because it encourages discussions about the innovation proposals with a social impact, as the technological ones are presented, about policies and innovation management. Although it is a fascinating trans-disciplinary tool, it has, in our opinion, some criticalities in the triggering of the interaction. The video, or the prototype at the centre of the room, has the function of inciting incident (Campbell, 2008) for the process, but it is conceived and shown in quite a traditional manner, because it already includes a vision of the what if? From the storytelling point of view, the product, the interface, the design: which role do they play? Using "The Hero's Journey" (Vogler, 2010) as reference text to create a narration and its archetypes, the design looks like the magic weapon that the mentor gives to the hero as a gift, a wonderful shining object like the light-sabre that Luke Skywalker receives from Obi-Wan Kenobi, or an estranging ocular prosthesis that he uses to review parts of his life in the "Black Mirror" series. The main goal of this operation is to obtain feedback during the initial phase, but visions come too often from sci-fi (science fiction) movies, full of optimistic or dystopian futures, in which technology has saving or deleterious effects on the society.
Can design, and in particular Interaction Design, accommodate and interpret narrative features? If design is by its nature a tangible narration (Penati, 2013), an object of speech (Fiorani, 2001), word (Barthes, 1974), a narrating object (Rosetti, 2013) or a conversations trigger (Norman, 2004), visions about the relation between object and narration diverge in many respects. A possible common line between the quoted authors consists in designing objects that will be enriched by the dialogue with those who will buy them, use them, keep them. Due to the designer's education, dialogue is part of the process, and it will be carried on in a personal or social way. The Interaction Design, instead, aims to design interfaces that will establish a continuous, more and more gestural, verbal, semantic, prox-

imal (Hall, 1969), behavioural dialogue that must include a stable update, learning ability, a request for help and support. A dialogue that is based on interfaces and produces consequences on the artefact seen as a relational system with at least a two-way mutual base.

The characterization of the personas

The User Experience, closely connected to Interaction Design, uses some narration techniques widely, above all during the construction of *personas* and related Scenarios (Floyd *et al.*, 2008), organising them like literary characters. The result is very different from the consolidated representation of the target, however even this approach, that is connected to our vision of characterization, doesn't interpret objects and interfaces as characters. The *personas* oscillate between scientific bases that draw on disciplines like anthropology and sociology, but they become close to the designer's cultural world when they are described through their behaviour and relationships. The problem with this process concerns the concept generation, or the deviation from the routine, that is often represented like a typical day in the design process. Referring to ineluctable customs that make living experience a standard, can only end, at best, with products or services of an incremental nature, that optimise the activities, making them more efficient (Rogers *et al.*, 2011). Some of these projects are accepted and become an integral part of the new routine, especially if they are fully autonomous like the vacuum cleaner robots that act in our absence; others result in the abandonment of objects vaunted as revolutionary, for example the wearable devices, that are statistically no more interesting for the users after a few months (Lazar *et al.*, 2015). The abandonment of these technological objects is due to a poor interaction always equal to itself, that is able to provide in theory a limitless quantity of information, but without the possibility of a qualitative comparison. Therefore, the dialogue, the relations that are established and the environmental impact that the amount of these objects generates, is not considered, giving rise to an upstream waste (Lanzavecchia, 2000).

The importance of being human

The inciting incident of our research has been the creation of a presentation mode based on the exclusive use of video, during the project development, in collaboration with an actor in the telecommunication sector. The theme concerns the construction of an interface that is always active and present in the home, based on a continuous video connection. We decided to describe the *personas* through the realisation of short stories in the form of video-clips, in which their dramaturgical peculiarities would emerge. The results are encouraging because their features are immediately highlighted in a credible way, within a narrative structure albeit simple and of limited duration. However, to date, this tool doesn't allow an agile revision and modification, if filming with real characters and locations is used; consequently, it risks of being easily shared between the actors of the project due

to its digital nature, but scarcely ductile. In the following phase, in order to design a minimal and transparent interface, we paid attention on the metaphors system we needed to trigger, sustain or interrupt the communication, in order to study essential behaviour and gestures of the *personas*. It is not a real characterization, it is a way that allows to imagine different stories. In fact, before deciding whether the object should be built as an interactive screen, a holographic projection or a portable device, we imagined how the *personas* could start the communication with a gesture connected to a room in their house. Representing a window to be opened, a shutter to be lifted, a door to be knocked on, a surface to be rubbed or even the clapping of hands, as in the early representations of home automation, immediately expanded the conceptual vision both of the object and of the interaction. In this case the gesture generates the metaphor and influences the behaviour of the *personas*. The construction of the stories will coincide, in this case, with the process that will design the relations between interface and *persona*. Therefore, we tried to read a text by Dorfles (2003) in a divergent way, asking ourselves which metaphors should guide the concept in order to translate the image into a system of communication and interaction with the human. A system based on the metaphors of our language (Lakoff & Johnson, 2008), that is able to draw and generate symbolic, tangible and intangible relations (Branzi, Pederbelli & Biamonti, 2007) during the process and produce sustainable behaviours.
The experimentation on the characterization is realised, instead, in two projects that integrate the sustainability paradigm: a compactor and a self-driving car. In both the cases a narrative function and a relational role were attributed to the concept, using as reference the Hollywood rules, playing not only on support characters, but also on the phases in which the hero faces contrasts or is reluctant. The construction of the narration becomes engaging when the interface is forced to relate with several characters in complex systems, it's no coincidence that the number of *personas* is conceived between 3 and 8, a number that works also in screenplays, for example in "The Hateful Eight". The interface is often conceived as a guide, a mentor. The characterizations of a mentor are many, leading us to explain and reveal, but it can be done with the spirit of Dante's Virgilio, with the communicative approach of a television communicator, yelling like an adrenaline-filled rally navigator or in a patient and maternal/paternal way. The characterization described in this way is very similar to the concept of humanisation which is much debated in the scientific field. This line of research mainly concerns mainly vocal assistants like "Siri", "Google Assistant", "Alexa" and "Cortana". In these cases, the vocal dialogue forces the designer to trace personalities as similar as possible to dialectics between humans; "Siri"'s sense of humour is well known, just like the experimentation of "Google Duplex" has demonstrated its potential to replace a human interlocutor. In these researches, among which the robotics in healthcare service has to be mentioned, one cannot transcend from the discussion on the human, humanoid or mechanical aspects

that it will have to show, a fundamental aspect to create a correct degree of acceptance that allows the interaction between robot and patient.
The characterization differs from these forms because it confers behaviour and traits to the interface, it doesn't deny that it can assume human form if necessary, but it doesn't push to do it, on the contrary, it must be clear that the human is interacting with a machine.
In the case of the compactor we used the humanisation creating five interlocutors that interact through a screen, choosing between real or cinematographic characters. This technique of interaction is widely used in videogames and not surprisingly, we used it during the kick-off phase of the initiative. The aim was to stimulate reflection, encourage sustainable behaviour through the collection of plastic bottles and to plan a return on the territory in economic and social terms. The playful features allowed us to observe behaviours related to interfaces with very different personalities. The characters that dare the users with disdain or ambition to realise the good practices of sustainability had, for example, the traits of the current president of the USA or his predecessor. Aspects, dialogues, requests that changed according to the gestures, deeply influenced the interaction and the development of the choose-your-own micro-stories that were studied for the application. In fact, the possibility to interact and get always new answers according to one's choices, encouraged the majority of users to repeat the interactive path many times, searching for the correct behaviour or a different vision, providing both a series of desideratum to be included in the project and a greater collection of waste.
The humanisation is therefore effective and composes the first phase of the characterization; conferring human features referring to cinematographic characters or archetypes typical of one's own cultural context, is extremely helpful to identify a series of behaviours and obligatory contact points in relations. The next step should, instead, treasure the points identified and abstract the behavioural characteristics, in order to transpose them into the interface dimensions: words, visual languages, tangible objects or space, time and sound (Crampton Smith, 2007), behaviour (Silver, 2007). Each of these dimensions contains references to other disciplines that have a similar approach to screenplay writing, but even wider, like music.
An interface can already have a rich personal experience, a back story, and it can manage each message using its own characteristics to learn new ones every time it is used. Also in this case it should not necessarily relate with a teenager *persona* using the same slang. If the project is just about entertainment it can work, but if the interface has to provide useful tips to learn how to drive or to use a digital device or some software, the aspects related to authority and flexibility must be considered, avoiding moments of frustration caused by too much, or too little, information provided.
During the research on the interface of a self-driving vehicle, we tried to avoid overused and mono-dimensional characters like the servile butler, even if there

are many typologies of butler, who are surely respectful but with another kind of personality, for example in the films "The Butler" or "The Remains of the Day". To create a different narration, the interface of a car should have characteristics of sustainability, a word that already encompasses the relations. To do this, we gave it the features of a provoking character that instils doubts, that changes continuously: a shapeshifter. This connotation comes from the continually changing connections. In an interface studied for the mobility, that should be shared, one cannot consider structuring rigid behaviours; it is certainly more interesting, from the dramaturgical point of view, to ask questions to stimulate reflection and a possible change. We then created a series of micro-stories, initially creating provoking characters, then isolating dialogues and interactions to finally build the entire interface starting from the sound design of the audio effects, copywriting, the colours palette and, above all, the interaction times according to the possible answers and the measurable needs of *personas*. Triggering, sustaining a dialogue, and memorizing the information for the next one, were the crucial aspects of the interaction project.
At this point, the effort to start an informal conversation is evident, this action corresponds to waking up of the interface by using its name, for example: "Ok Google". The act of asking something to an interface is not formal at all, especially when it doesn't answer to the first call, but due to vocal recognition problems, the whole dialogue is focused on the second line. We are still in an experimentation and machine learning phase with a lack of confidence in technology because of functional and privacy reasons.

Innovation and differing narration

Interaction Design resembles more to the writing of a screenplay, in which every element becomes a part of the interaction with the devices, rather than to an actual fiction the results of the experimentation make us reflect on the methods that are typical of design and about the new narration forms that today question a linear structure, within a digital universe composed of micro-stories and connections. Within the three projects, in fact, we tried to write rapid paced dialogues to generate recursive narrations, calling into question the customer journey that User Experience conceives as ended stories. The value of this approach lies in the analysis not only of all the interaction touch points but also includes possible abandonments. It has often been repeated that every new app should be always active on our smartphone, in order to advise us continuously. There are some cinematographic characters that meet these criteria, but they are often considered in a reluctant way by the hero, even if they are positive. It is worth mentioning that the hero-*persona* needs support and privacy.
One last note is about the personalization trap, one of the requests implied by many clients. The personalization is very complex because it concerns not only what the interface can learn from our behaviour, making the entire artefact evolve, but also the human way of generating necessary habits. The interface can and must change

according to the situations it perceives, for example, our physiological parameters that show stress, according to our repeated choices or our current needs, but just like a character, it cannot continuously misrepresent itself. It has its own characteristics that derive from the study of the *personas* and of the relations that one intends to enhance, and, depending on the undertones, starting from the lexical ones, it can be the opportunity to continue or abandon the conversation. The characterization of the interface therefore helps to better understand what the real needs and the natural behaviours are, allowing a more visionary study during the concept phase, analysing and studying the user needs, as well as a system of sustainable and virtuous relations, but it opens the way to greater possibility of innovation by constructing a divergent narration.

References

> Arcagni, S. (2016). *Visioni digitali. Video, web e nuove tecnologie*. Torino: Einaudi.
> Barthes, R. (1974). *Miti d'oggi*. Torino: Einaudi.
> Bleecker, J. (2009). *Design Fiction: A Short Essay on Design, Science, Fact and Fiction*, 49. Retrieved from http://drbfw5wfjlxon.cloudfront.net/writing/DesignFiction_WebEdition.pdf.
> Branzi, A., Pederbelli, M. & Biamonti, A. (2007). *Capire il design*. Firenze: Giunti.
> Campbell, J. (2008). *L'eroe dai mille volti*. Parma: Guanda.
> Crampton Smith, G. (2007). Foreword. In B. Moggridge (eds.). *Designing interactions*. Cambridge (Mass.): MIT Press.
> Dorfles, G. (2003). *Nuovi riti, nuovi miti* (1965). Milano: Skira.
> Fiorani, E. (2001). *Il mondo degli oggetti*. Milano: Comunicazione-Lupetti.
> Floyd, I. R., Cameron Jones, M. & Twidale, M. B. (2008). Resolving incommensurable debates: a preliminary identification of persona kinds, attributes, and characteristics. *Artifact*, 2(1), 12-26.
> Hall, E. T. (1969). *Il linguaggio silenzioso*. Milano: Bompiani.
> Lakoff, G. & Johnson, M. (2008). *Metaphors we live by*. Chicago: University of Chicago press.
> Lanzavecchia, C. (2000). *Il fare ecologico: il prodotto industriale ei suoi requisiti ambientali*. Torino: Paravia.
> Lazar, A., Koehler, C., Tanenbaum, J., & Nguyen, D. H. (2015, September). Why we use and abandon smart devices. *In Proceedings of the 2015 ACM International Joint Conference on Pervasive and Ubiquitous Computing* (pp. 635-646). ACM.
> Penati, A. (2013). *Il design vive di oggetti-discorso: Design e narrazioni*. Milano: Mimesis.
> Rogers, Y., Sharp, H. & Preece, J. (2011). *Interaction design: beyond human-computer interaction*. New York: John Wiley & Sons.
> Rosetti, M. (2013). *Oggetti narranti: Fonti rinnovabili della realtà*. Milano: Lupetti.
> Silver, K. (2007). *What Puts the Design in Interaction Design*. Retrieved from https://www.uxmatters.com/mt/archives/2007/07/what-puts-the-design-in-interaction-design.php.
> Vogler, C. (2010). *Il viaggio dell'eroe: La struttura del mito ad uso di scrittori di narrativa e di cinema*. Roma: Dino Audino.

Office Landscape between avant-garde and tradition

The contribution proposes an interpretation of invention design as a collaborative process and exposes a reflection on the appropriate conditions for triggering processes to discover unusual solutions. With this aim, the Workshop organized by Philips Electronics and Olivetti in 1993 was selected as a case study. The Workshop had the purpose of reformulating, in a new way, products and behaviour of office work. The results of the Workshop – that are still today at the forefront of the products distributed on the market – can be contextualized and interpreted as inventions also thanks to a text that Michele De Lucchi wrote, in 1992, as a planning document for the strategies of Olivetti's design sector. Moreover, the comparison between the prototypes originating from the Workshop and De Lucchi's text allows to address some considerations about the role of electronic design, as a tool capable of combining complex aspects of design, of production and social processes, as well as a tool for designing environments predisposed to experimentation. The paper also highlights how the idea of a laboratory can influence a conception of office work, which, moving away from the stereotype of productivity, encourages human relations and collaboration; it highlights the properties of the workshop as a design tool, in which the meeting between people and mutual stimuli are the premise for developing new interpretations of office work, understood as a profitable place of exchange and interaction. In this sense, one of the characteristics of design, that is the ability to create systems and at the same time systems of relationships, becomes central.

[invention, new needs, project experimentation, electronics, collaborative project]

Caterina Cristina Fiorentino

Associate Professor, Università degli Studi della Campania "Luigi Vanvitelli"
> caterinacristina.fiorentino@unicampania.it

In 1992, Michele De Lucchi, as head of Olivetti's design department, drew up a strategic document for the development of products in the electronics and office furniture sectors, also to give a testimony on «the evolution of Olivetti's thinking on electronics, and, perhaps, to offer arguments for a History of Electronic Design» (1992, p. 2). In the intentions of the author, this document was the first part of a text that could be updated over time – depending on the new events and the new decisions of the company – in which he defines the centrality of design as a tool for programming, as well as for the creation of new products and processes; indeed, he identifies design both as «a place of continuous debate on the aesthetic and functional qualities of products, on the corporate image, on corporate messages», and as "place" of the project; in this sense, design is also entrusted with political, strategic and diplomatic responsibilities, with the aim of «mediating arguments, stimulating requests, visualizing desires», because in the process of continuous and rapid transformation, typical of electronics, «design debates very broad and intellectual themes, linked to the destiny of industry and the world» (De Lucchi, 1992, p. 5).
Moreover, in order to make explicit the strategic role of design and its processes in the visualization of a possible future, De Lucchi organizes its text according to a series of themes that correspond to objectives to be pursued both for the company and for the designers. In fact, despite the fact that it is limited to a company diffusion, the document deals with aspects of production as well as more general reflections on design, and is divided into and the following paragraphs: the presence of technology in the world; the form of technology; progress and technological development; the style of the office; the approach to the consumer market; the approach to the systems market. The final part of the document is dedicated to the map of Olivetti products and the analysis of design strategies. In this last part of the document the company's products are described – with texts, drawings and graphs – and are subdivided by type, according to an analysis of positioning, into the following parameters: product policy, company policy, "extravagance" and "rigour".
Extravagance and rigour, as intended by De Lucchi, are opposing pairs that express the values of domesticity and efficiency; friendliness and complexity; simplicity or figurative complexity; avant-garde and tradition. It is precisely by identifying these qualities that it is possible to start by tracing the correspondence and tangencies between De Lucchi's programmatic document and the surprising power of invention that the results of the Workshop, that Olivetti and Philips Electronics organized in 1993, still have today.

The new office landscape

The Workshop was held in the Netherlands, at Philips headquarters, under the coordination of Stefano Marzano and Michele De Lucchi, as heads of the working groups of the respective Companies involved; it was a period of joint work involving a team of designers with the «aim of discovering new qualities for the conception and design of models suitable for work activities in offices» (1994, p. 2); initiative supported by the two companies «in the spirit of the cultural traditions of European design and in the conviction that design is the field in which new ideologies about the future of industry and society must be sought» (1994, p. 1). The results of this work are still at the forefront of what is distributed on the market, and are an exemplary case study to identify the motivations and solutions of a shared design process, able to produce an extraordinary and experimental interpretation of the ways of working in the office, understood as a field of expression of new behaviors. This new interpretation is both the result of the possibilities provided by technological innovation and the ability of the team of designers to collaborate, in a specific context and at a specific time, outside the routine of their usual tasks; in fact, the reasons for choosing this case study, as evidence of design as the place of invention, do not only concern the projects and prototypes that make up the results, but also the mode of a workshop as a process that determines the conditions for the invention to take place. In addition, we must bear in mind the concordance and similarities between the methods of collaborative work and the theme of office work, chosen by the two companies to discuss in the field of product and system design; this concordance is more relevant if we consider that one of the characteristics of Olivetti's work and design processes was the fruitful cooperation between different skills. Even for these reasons, the collaborative design process of the Workshop, together with its results, constitutes a reflection that includes various aspects of invention design: the contamination between sectors of different relevance that took place in team work, conducted by the managers of two companies with independent histories and propensities; the discontinuity of imaginative processes due to the confrontation with the technology of electronics, which, in rapid transformation, requires the ability to articulate futuristic scenarios and to make a continuous leap from the state of fact, that is need also due to the overlap between the fields of information technology, media and telecommunications.

Laborious Serenity

Another interesting aspect of the Workshop concerns the relationship between man and machine and, more generally, between man and his working tools, especially if interpreted through the qualities of domesticity and efficiency. De Lucchi identifies within this oppositional couple the possibility of combining solutions that have comfort as their objective, also understood as a condition of man that does not oscillate between "serenity and frenzy", but as a condition favorable to the possibility of choosing in first person, according to a logic of independence (1992, p. 18). In this regard, Marzano (1994, p. 3) recalls the grandfather tailor and the shoemaker's tradition; images in which production, manual skills and know-how were in harmony with the rhythms of a family's daily life, in which the progress of work, for successive results, was a source of satisfaction.

In this regard, the idea of tradition and laboratory, brought into the Workshop, influences a conception of office work according to which rhythm, exchanges and work can find an appropriate space, which moves away from the stereotype of productivity, favouring human relations and a climate that De Lucchi defines as «Laborious Serenity» (1994, p. 3), as that condition in which there is harmony between man, instruments and the working environment. In this sense, we understand better the intentions of Marzano and De Lucchi, who deal with the theme of office work in a systemic key, interpreting technology, in detail electronics, as a possibility of «boosting and not dissipating» energies (1994, p. 8). The two managers of the Workshop have, therefore, oriented the work of the project team – composed of Alessandro Chiarato, Khodi Feiz, Torsten Fritze, Graham Hinde, Masahiko Kubo, Thomas Overthun, Mario Trimarchi and Gus Rodriguez – towards cooperation, with the aim of finding new solutions to office work, which did not depend only on the skills of a single person at work, but, above all, on the relationships that are established between people. It is therefore clear that the cultural approach of the Workshop has been in line with the principles according to which design is a «political act» (1994, p. 4) involving «the creation of behavioural models» (1994, p. 7). In fact, De Lucchi writes about overcoming the simple dichotomy between the possibility of camouflaging or exalting the technological characterization of products; in favour of a cultural attitude in which the design responses are oriented by the continuous confrontation with the needs and aspirations of men, both with regard to the relationship with machines, and in reference to the possibility that design has to take action on the qualities «performance and contribute to the intelligence of the products without limiting itself to the mere search for figurative language» (De Lucchi, 1992, p. 24).

Tech survival kit

"Magic carpet", "Communicator" and "Portrait" are projects in which design looks at technology as an enhancement of people's abilities and at a scenario that requires adaptability, flexibility and reduced measures; in fact, they explore one of the themes of the Workshop, called Tech survival kit, which refers to the need for itinerant work, work that can be carried out not only in the office, but also in the street, at home, or on means of transport. The "Magic carpet" by Chiarato is based on the carpet used by nomads, while "Communicator", designed by Marzano with Overthun, is a multi-purpose electronic system, «a working environment reduced to the size of a microcosm, which provides functions related to an intimate and personal scale», a sort of «personal assistant, with auditory, visual and tactile interfaces that allow you to stay in touch from anywhere and at any time» (1994, p. 7). Fritze's "Portrait" project is a small transparent note-book that «opens like a magazine and is connected to an electronic mat, a leather rectangle, which creates a virtual territory and contains peripherals for printing and sending messages» (1994, p. 25).

Docking office

Other outcomes of the Workshop are identified by the name "Docking office" and include the following projects: "Group tool", "Toolbox", "Tool panel". The project by Feiz, "Group tool", is a tool for common use that offers the possibility to carry out the daily practical office functions and work in teams; a workstation that is inspired by the workbenches of artisans' laboratories and that goes beyond the sequence of machines in line, against a solution in which technological innovation allows more compact workstations, from these each, if necessary, can pick up a "Toolbox" (consisting of a display, a keyboard, a digital pen and a control device for connections) designed by Hinde as a portable toolbox. Instead, "Tool panel", conceived by De Lucchi with the collaboration of Kubo, is to be understood as a sort of «reservoir from which instruments can be taken and rested» (1994, p. 35). If in the first drawings there is the concept of shelving for storing instruments, inspired by images of domesticity, the prototype, instead, aims at the efficiency that once stored «are automatically reloaded and connected to each other on the network, so that the recorded data can be downloaded, stored in a central system and, also, updated, on each device» (1994, p. 35). These three projects are inventions oriented by the idea that office work is in transformation towards an increasingly accentuated mobility that provides for common actions, concentrated in some places, and actions to be carried out individually, even in environments and contexts distant from the headquarters of the work; in this regard De Lucchi (1992, p. 19) refers to the combination of products ranging from personal use to those dedicated to collective ownership, because in the range of electronic products the possible functions are to be translated into forms and languages, also, depending on the degree of sharing that you want to achieve. In this sense, design has the task of accompanying the strategic choices of companies in reaching very different markets, modulating the relationship between products and their environments of use, from the most intimate and personal spaces, to the urban scale.

Empty room

Another section of the Workshop, "Empty room", identifies projects called "Tablets" and "Wall-station Computers". Trimarchi's project, "Wall-station Computer", is a wall-bookcase that combines in a multimedia station the functions of a computer, a television and a hi-fi station; "Tablet", by Overthun, has the size of an A4 sheet and is «a remote control device that allows individuals or groups to operate in a complex environment, equipped with a variety of multimedia systems: images, texts, audio», an interface through which it is possible to control the microclimate of the environments, the luminosity, as «the general system of computer support» (1994, p. 39). These devices are designed for a space where traditional office furniture is absent; chairs, desks, archives and supports are no longer needed, while the only traditional furnishings are armchairs and a low coffee table. In this empty space, the Wall-station Computer occupies a vertical surface on which still or moving images appear, either in a single solution or in a solution where the different screens are spaced and separated to operate individually. The concept of empty space – free of encumbrances as well as constraints – refers to what De Lucchi writes about the style of the office, that is to say the need to avoid that the working environments are carriers of discomfort and, above all, the responsibility that design has to «look further and confront the deepest paradigms of the psychology of doing» (1992, p. 18). Also in this sense, the results of the Workshop constitute a case of invention, because they belong to a research on the possibilities of transforming work environments and, therefore, affecting behaviours, directing them towards a collaborative relationship, in which there is room for the freedom of individuals, for the respect of different personalities and for independence in choices. In this regard, De Lucchi underlines the distinction between lifestyle and environmental style, because they are two approaches that refer to «completely different cultural, disciplinary and conceptual categories; to fashion, costume, customs on the one hand; to architecture, environment, physical space on the other» (1992, p. 20). But, at the same time, he attributes to design the task of acting in the field of design and the prediction of reference models such as to ensure, for as many people as possible, to select «the one that most resembles him» (1992, p. 22).

Objects landscape

The projects and prototypes resulting from the Workshop, can also be interpreted as emissaries of a transformation still in progress, witnesses of a conception of digital technology as an appropriate element for inclusion and collaborative work, as a practice of exchange and access to the evolution of languages and their mixtures. In this sense, prototypes can be placed in that inventive interval between the avant-garde and tradition, in a space that is almost an interzone, a special place where some products dialogue with each other and, at the same time, recall other discoveries of the past and allude to future ones. In this perspective, it is worth quoting Renzo Zorzi's words that an object «does not live in isolation», because «it is only one of the many elements of a landscape of objects, among which its presence is inserted not as a privileged and solitary moment, but rather as one of the articulations of this space» (Zorzi, n.d.). Through what Zorzi writes, it's possible to highlight the importance of critical caution regarding the concept of invention, that is, the consideration of the need for a productive, cultural and social context in which a special detonating force can find the space and opportunity for an invention to occur. Zorzi underlines, in fact, the necessary obstinacy of a research, the precise need on the part of his company to express a continuity – which in this case is identified with the Olivetti Style – together with the recognition that the discoveries, however, can be described within a constant dialogue, between some specific events and a historical framework, given by the set of inventions, projects or innovations that preceded them. In this regard, Franco Fortini's words about the «drug addicts of the future» (1974) are useful, because they stress the importance of a state of widespread well-being in the present and not beyond the future. De Lucchi himself, when confronted with the times and with the use of the electronic, calls the responsibility of designers and companies and on the role of design, about the aim of avoiding to «amaze, change, surprise and change again» (1992, p. 21), especially in relation to the fragmentation of images and information, which is the drift of the great possibility of dissemination of data and content and which implies a progressive impoverishment of the original meanings. De Lucchi suggests, in fact, a selection and research that lead to the design of invention; that is, to qualify technological development, in relation to market and positioning needs, but also avoiding falling into formal eclecticism in favor of solutions that contribute to the formation of a new iconography, appropriate to the relationship man-machine. Moreover, while De Lucchi describes the role of design as an accelerator and arbiter – distinguishing the development phase from that of «defining formal and communicative aspects» (1992, p. 16) – he wonders about the use that can be made of «a technology that advances faster than the possibilities that man has to use it» (1992, p. 17), to the point of prompting a reflection on the times of obsolescence and on the social responsibilities of design. In fact, he writes that if it is clear that many companies «own products that are much more sophisticated than those in their catalogues and wait to put them into production so as not to damage those in their warehouses», it is less evident that the «design of technology must be able to testify to the consequentiality of the thought that permeates it» (1992, p. 17). In this sense, it is finally up to design – in comparison with the accelerations due to technological innovation – to reinvent, from time to time, the position of the threshold between avant-garde and tradition, placing a practice that, in addition to shaping formal and functional solutions, is also able to propose transformations of meaning that have to do with the landscape of objects, with the non-linearity of history and with the possibility of selecting past events and transformative opportunities to be implemented in the present; with the aim of not remaining circumscribed a generic conception of progress, but of acting on the present «on that present in which, from time to time, history is written» (Benjamin, 1997, p. 75).

References

>W. Benjamin, *Sul concetto di storia.* Lemmi. Storia. In G. Bonola & M. Ranchetti, (eds.). (1997). Torino: Einaudi.

> De Lucchi, M. (1992). *Olivetti Design Strategy* (ODS), documento dattiloscritto; Associazione Archivio Storico Olivetti (AASO), collocazione: Archivio Renzo Zorzi – Design Designers e Economia _ 2/15.

> Fiorentino, C. C. (2016). *Congegni sapienti. Stile Olivetti: il pensiero che realizza.* Torino:Hapax Editore.

> Fortii, F. (1974, 22 ottobre). Niente antistoria ho già pranzato [interview by E. Golino]. *Il Giorno.*

> *Workshop*, An exploration on the qualities of the new office landscape* (1994). Philips Electronics N.V. and Olivetti S.p.A., AASO, collocazione: Biblioteca.

> Zorzi, R. (s.d.). *Il product design come comunicazione*, documento dattiloscritto; AASO, collocazione: Archivio Personalità Olivetti (ex Zorzi) Zorzi Renzo – Relazioni _ 1/13.

Sharing and creative contaminations in the London melting pot

Walter Koenig, the "Bottle Game" inventor, replied to the question: «How did this curious game come to your mind?» that he wanted to give to the middle school kids the possibility to be happy (Catalano, 2016).
Without any doubt, in a discourse about the connections between design and invention, the words of the poet Guido Catalano stand out for contrast rather than for consistency. On the other hand, trying to filter the same words with a wider and more critical look, they manage to explain the concept of inventing as the ability to determine a new activity, characterised by a specific purpose and use to improve people's lives unexpectedly.
Without any need to correspond to each other, invention and design can spontaneously find a common ground in their complex approach to creation, scientific and empirical at the same time, and based on collaboration and improvisation.
In light of these reflections, it seems useful to dwell on the contribution offered by all those protagonists who chose to risk playing with design, aiming at shared experimentation as a useful tool to demonstrate the ability of the discipline to invent inside a reality almost saturated from both the material and emotional point of view.
The city of London stands out in this context thanks to the ability to stimulate new visions and projects due to the presence of many experiences based on the connection between diversity and on the speed to change as incentive for human inventiveness.

[widespread creativity, inventive process, open design, melting pot, co-making]

Anna Gallo

PhD, Università degli Studi della Campania "Luigi Vanvitelli"
> annette.ag85@gmail.com

At the roots of the contemporary imperfection

We live what is called the second modernity, an elastic and imperfect modernity that grows mainly fed by the possibility of experimenting and testing oneself; a modernity interested in finding new ways to get inside the conflicts of our time by exploring the existing cultural and social differences.

Driven by innovation, our main goal today is no longer to reach an economic progress as expression of success but the achievement of the unexpected. It is to find something that can evolve according to our life and capable of representing at the same time the prevalence of an expressive pluralism and the proliferation of new habits in every area of life, including work environment.

We are living what Maurizio Vitta calls "confused postmodernity" in which the continuous movement plays a key role inside the process of contamination within creative actions. This happens because it can encourage a constant and deep dialogue among its actors, becoming an impulse to flow of information, presences and knowledge (Vitta, 2012).

Within this scenario, the attention to support this change through the construction of flexible, complex and open environments, both from a cultural and professional point of view, highlights the porous boundaries of designing in our time. Indeed, thanks to this kind of environments it becomes easier to communicate new contents and information and to stimulate a more intense creative force in people to update our interactive system.

The discipline of design, as an evolutionary process, manages to configure the complexity of change thanks to a heterogeneous identity, a plastic nature and a flexibility that makes easier its connection with time that it lives (Trabucco, 2015).

The correspondence between the current social context and the creative dimension, both characterised by instability, has recently stimulated the presence of new ways of understanding the design project as an "inventive activity", open to involve different points of view, contents and actors and, more generally, predisposed to accept the unexpected to facilitate an organic evolution within itself.

The Open Design concept is one of the first to highlight the importance of sharing and communicating inside the processes of making. Spread during the first decade of the XX Century through projects characterised by the presence of accessible and editable documents, it aims to facilitate the flow of knowledge among people and to enrich knowledge through the people themselves.

As claimed by Hans Höger, nowadays "sharing projects" is essential to stimulate the progress. It can be considered as a demonstration of civilisation and democracy because it becomes a way to get people with different backgrounds involved in acts of reflection and confrontation, putting the courage of tolerance and trust before the desire to control the development of a completely new idea. According to him, sharing the innovation process is the first condition to understand the meaning of design today, as well as it represents a productive way of life because it can create a system open to creativity and experimentation (Höger, 2008).

It is the reason why the chance to use a physical space for sharing creative processes is becoming important again as well as to have a virtual one. In this regard, Vlad Glăveanu considers, in addition to the ordinary creativity present inside individuals, the existence of an extra-ordinary creativity developed outside of us as a result of the relationships between different people. It is called distributed creativity and takes shape in a broader dimension characterised by a network of relationships not regulated by the market or by a hierarchy but by reciprocity and sharing. Therefore, a creativity as a distributed and dynamic social-cultural phenomenon, not localisable but generated in an unexpected way through the daily activities (Glăveanu, 2014).
In parallel with this concept, in the last decades many initiatives of self-design based on sharing have started to increase. In this same scenario, the Maker movement stands out to be able to generate innovation through the transformation of single ideas into complex projects.
The invention of the 3D printing supports the transition from the digital to the material connectivity, offering a possibility of innovation to the entire DIY sector. At the same time, the opening of many co-design spaces leads to a revolution inside the processes of production and exchange of goods and ideas that helps to transmit immediately values like sustainability, solidarity and the correct use of resources within the creative process (Pone & Colabella, 2014).
Although it seems a modern approach, it has the roots in experiences of the past, matured in the history of design, which have laid the foundations useful for all the laboratory experiences of our time.
Usually, the designer Enzo Mari is identified as the Open Design inventor due to his handbook about "self-design" published in 1974, which introduced for the first time a revolutionary way of approaching design as a tool of knowledge not as a finished product but as a creative process. However, already in the Nineteenth Century William Morris conceived a type of design characterised by the integration of knowledges. The Morris & Co, founded in 1861, was based on the collaboration between different kind of artists in order to protect culture and beauty. The same imprint has characterised all the following initiatives. In 1882, The Century Guild by Mackmurdo put together specialists from different disciplines to underline the artistic value of design, while a few years later the Guild and School of Handicraft by Ashbee aimed to reform the discipline by opposing the experimental artisan method to the technical school. Furthermore, in 1907 Hermann Muthesius founded in Munich the Deutsche Werkbund, where he gives a central role to the modern industrial art for the development of the society. Later, in 1919, Walter Gropius started the Bauhaus project in Weimar. The school presents itself as the first concrete example of a community dedicated to the heterogeneous working and a common researching, in which the individual freedom and the unity of intent in design are both guaranteed (Vitta, 2001).
However, what is still deeply rooted within our contemporaneity from this experience is the absence of hierarchies, reason why all the relationships were based on comparison, collaboration and creative freedom, with the aim to enhance the expressive and inventive qualities of everyone.

It is not just the aspect of doing together to re-emerge over time. At the same time, the playful character of most of today's laboratories is reflected in many experiences of the past in which design, rather than following logic, followed improvisation.

At the beginning of the Twentieth Century, the experience of Futurism was the first to subvert that rigor by imposing itself as a group action and cosmic vibration that aims at the happiness of designers using the activity of playing as an instrument of sensitivity, imagination and courage. The slogan "let us have fun", camping in the laboratory in Rovereto, interpreted an approach to the world totally new (Branzi, 2008). However, this is not the only Italian experience to grow in this direction. From the end of the sixties, the fascination of a calculated disorder, a primitive spontaneity and the multiplication of languages began to make its way into the project by constructing a scenario far from the complex industrial production organisation. This approach has been adopted by several groups in Italy, such as Archizoom Associati in Florence, Studio65 in Turin, Ugo La Pietra in Milan, Riccardo Dalisi in Naples. Theoretically, they were all connected with Morris's ideas as they were based on the linguistic contamination, the idea of design as process of creative freedom and the importance of happiness in planning, which can also come from meeting other people.

The London melting pot

What emerges is the presence of values such as participation, sharing, collaboration and comparison as a necessary vehicle of flexible experimentation and open innovation in both the historical course of design and in its current state.

A heterogeneous identity is what allows the constant mutability of matter and therefore, the possibility that this can be unexpectedly renewed. It is a condition that affects the design-process and the invention-process in the same way, putting the two dimensions in a closer and more stimulating relationship.

One of the few cities that can fully represent this complexity is London. Defined as World City, the British capital holds a unique potential consisting of a multicultural identity constantly fed by an organic changing of its DNA.

According to Eurostat sources, London is the city and the most populous metropolitan area of the European Union with about 14 million people, of whom 36.7% are foreigners just in Greater London. It is the highest percentage in Europe and the second largest in the world after New York. The Manchester University claims that by 2020 the British white people will be below 60% in the capital, while in ten years there will be one foreigner for each English (Franceschini, 2012).

One of the most significant consequences of this condition is the presence of different cultures, languages, religions, habits, rituals that can easily meet in all the dynamics of everyday life.

Instead, considering the creative sector, in 2015 it produced about 42 billion pounds, more than 11% of total gross value added, increasing by 38.2% in nominal terms since 2009.

One of the reasons for these results lies in the government's decision to invest in the cultural sector by supporting at the same time education and business as a collec-

tive development system. In 2014, 69% of the graduates and 70% of the researches conceived in the academic field belong to the Art and Design sector, while more than 600,000 people have been employed in the creative industry and over 11,000 businesses have been started in the same sector. At the same time, the Government supports the launch of local networks in order to reduce costs and produce greater benefits thanks to the exchange of complementary resources and competences.
Mostly during the last decade, many co-making spaces have been opened due to the flexibility coming from the economic side and, in parallel, from the availability of free spaces in the city. They can be divided in three different types: The Open access spaces, the Shared Workshops and the Institution-based workshops. The first ones are also known as Makerspaces or Hackerspaces accessible to people through a membership system. The Shared Workshops are usually private spaces created and managed by professionals in order to share resources and skills. Whereas, the Institution-based workshops are companies or institutions accessible mainly to students.
East London, which has always been the heart of industry, represents a key point in this scenario due to a considerable number of spaces available to be converted, a significant cultural diversification and a large number of people involved in the creative sector. Some of the most significant experiences launched in the area are: the "Blackhorse Workshop", a free architectural and design laboratory opened in 2014; "Workshop East", founded in 2013 to provide shared facilities for designers; "North Street Potters", started in 1978 as a creative collective in the ceramics sector; "Assemble & Join" which arranges workshops about how the design project can improve the urban environment working within a community; "Machines Room", a FabLab and incubator opened to support sustainable projects; "iMakr", a space dedicated to 3D machines and to events organised to spread knowledge in the sector.
However, "Duffy London" studio, the "Makerversity" and the "Hackney Wick" community are three examples that can tell at best the vision of design as a planning and inventive process.
In 2002, the British designer Christopher Duffy founded "Duffy London", a laboratory with an artisan imprint. Its focus of his attention is an experimental design characterised by a strong narrative tendency and a particular expressive value, articulated over the years following a double design matrix concerning at the same time the industrial object and the sculptural element.
The space, located inside an old library in East London, follows the whimsical personality of its founder and shows itself as a connective field of creative ideas. It is a place deeply characterised by contaminations, mainly about experiments on materials and shapes, as well as by the relationships generated during the creative processes. Everything starts from the imagination of Duffy and his co-workers: Michael Blogg, Dario Costa and Cristian Peruzzo who are in charge of following the whole design process – development of design, furniture finishing, packaging, logistics, customer service – to reach the imagination of other people with the aim of creating an emotional bridge through which they can be stimulated to express their personality.

The main ingredients of Duffy's success is the enthusiasm of inventing and the fun of playing. Above all, this emerge through the research of new structural solutions realised working on the concepts of gravity, illusion and geometries able to suggest interaction with people and with space in a functional and fun way, never invasive. Another important point is its specific attention to sustainability expressed using eco-sustainable materials and respecting beauty as an aesthetic sense, harmony and happiness of creating. Therefore, "Abyss Table", "UP Balloon Table", "Swing Table", as well as all the other models and variants, represent the outcome of a renewed balance between technical ability, knowledge of materials, experimentation, a visionary and free approach to creation intended as a vehicle to give personality to a world characterised by a strong loss of identity.

The Makerversity, opened in 2013 inside the "Somerset House" by the designer Tom Tobia, consists of an interdisciplinary space dedicated to collaboration, experimentation and learning in order to build up the Maker community of the future. It hosts many different figures within the creative sector as are considered all types of work: experts in technology, chemistry, artisans, artists, interpreters, architects, film producers, designers, engineers, all equally interested in creation as an act of social change.

The attention paid to teaching is one of the most interesting aspects of the space. In addition to being affordable, it gets a teaching program focused on technical knowledge as well as on the dissemination of the ethical value of creation as a tool for renewal and growth. In this direction, its founders assumed the statement «working together, playing together and inspiring each other» as slogan to give everyone the opportunity to become students or teachers at the same time, encouraging them to play an active role in the transmission of experiences and competences.

Whereas, until a few years ago the area between Hackney Wick and Fish Island in East London was considered a peripheral and difficult place, it has been transformed in the last twenty years in the most considerable community of artists in Europe. It still stands out for an industrial identity clearly readable due to the presence of Victorian factories, huge warehouses and the largest salmon smokehouse in London, although today the whole area is almost entirely converted into a large open space with a social and creative vocation.

When in the late 1980s the traditional industry collapsed, many of the buildings were emptied and then illegally occupied or rented by artists, this has gradually determined the growth of a socio-economic system based on spontaneity, freedom and support between people.

After the Olympic games in 2012, the area was considered an interesting opportunity for a new development. On one hand, this condition put the spontaneity of the place at risk but, on the other, it stimulated the sense of community more strongly and the launch of movements like "Keep Hackney Crap" or the "Hackney Wicked platform". Thanks to them, residents of the district try to preserve its traditional identity and every year they organise the Hackney "Wicked DIY Open Studios", opening the industrial buildings to make the whole space a kind of huge disseminated laboratory accessible to everyone.

The renewal of the sharing model: the example of London

The examples previously highlighted transmit a concrete image of the approach adopted by the city of London to creation as they represent at three different levels the possibility of creating projects solid from a cultural, economic and productive point of view. It is possible adopting an organic and open body building up using together aspects usually in contrast as instrument of enrichment: the experience of contamination as a stimulus to individual growth, the game to discover new ways to systemise production, experimentation to develop new creative processes, connectivity as physical space of knowledge to generate and disseminate sustainable development.

What emerges in London is a heterogeneous urban identity continually fed by an identifiable multiplicity that reminds of the *complexus* concept conceived by Edgar Morin. He means a fabric made of different social, cultural and anthropological elements inseparably associated as rooted on a field made of plurality, able to branch out in many directions reaching different people and contexts (Morin, 1995).

Differently than other places, London presents the ability to reconfigure itself with a daily rhythm, welcoming and, at the same time, stimulating the flow of cultural and creative development without losing its personality.

This behaviour makes the biological cycle of the city similar to the design-process and the invention-process in their dynamics. It is possible because the process of change is not passive, but everything seeps in through the feelings of openness and togetherness towards something that is different but easily identifiable as part of the same community culturally and geographically boundless and considered innovative as ready to stimulate the visualisation of spontaneous and unexpected visions.

References

> Branzi, A. (2015). *Introduzione al design italiano. Una modernità incompleta*. Milano: Baldini&Castoldi.

> Branzi, A., Linke A. & Rabottini A. (2013). *Gli strumenti non esistono*. Milano: Johan & Levi Editore.

> Catalano, G. (2016). *D'amore si muore ma io no*. Milano: Rizzoli.

> Colabella, S., & Pone, S. (2014, gennaio). Maker. *Op.cit. Selezione della critica d'arte contemporanea, n. 149.*

> Franceschini, E. (2012). *Londra Babilonia*. Roma-Bari: Laterza & Figli Spa.

> Glăveanu, V. P. (2014). *Distributed Creativity. Thinking Outside the Box of the Creative Individual*. Springer International Publishing. Available from Springer database.

> Jungbauer, J. (2016, February). The Success Story Behind Duffy London's Quirky Design. *Ignant*.

> Morin, E. (1995). Le vie della complessità. G. Bocchi & M. Ceruti (eds.). *La sfida della complessità* (p. 56). Milano: Feltrinelli.

> *Quando il design è condiviso*. (2008). Retrieved from www.socialdesignzine.aiap.it/notizie/9845

> Trabucco, F. (2015). *Design*. Torino: Bollati Boringhieri.

> Vitta, M. (2001). *Il progetto della bellezza. Il design tra arte e tecnica dal 1851 a oggi*. Torino: Einaudi.

> Vitta, M. (2012). *Il rifiuto degli dei. Teoria delle belle arti industriali*. Torino: Einaudi.

https://duffylondon.com
http://www.hackneywicked.co.uk
https://www.london.gov.uk/sites/default/files/makerspaces-jan2015.pdf
https://makerversity.org
https://nesta.org.uk/documents/the_geography_of_creativity_in_the_uk.pdf
https://www.ons.gov.uk

Videogames on design: key elements of restrained creativity

In some of the most recent theories, games are considered as extraordinary systems of education and culture highlighting how the playful activity goes beyond the traditional *loisir* and, instead, deals with complex and delicate issues. This essay takes into consideration the future of designers' training by raising a basic question: once ascertained the existence of serious games intended as game systems suited to stimulating reflection and learning; after having ascertained the collaborative and cohesive strength of some Alternate Reality Games, as "composite events" in which the players co-experiment and co-implement part of the game that is left deliberately "open" by the designers; and, given the exceptional number of educational (video)games that deal with the most diverse themes, in the face of a small group of games purposely created for teaching design, we wonder if and how can design training also be taught through the use of videogame systems. Intended on the one hand as the designers' and on the other as the players'/students' ability to respectively design and recognize in an original way new relationships between objects and ideas, creativity is taken as the guiding thread of the analysis that considers simulation games as its main object of study. In parallel, it highlights the potential that these games offer in stimulating learning through collaboration, competition and parallel thinking: that is they are a training ground for experimentation of values.

[serious game, ARG, restrained creativity, simulation, game design]

Isabella Patti

RTDb, Università degli Studi di Firenze
> isabella.patti@unifi.it

The game project: a cross between science and art

Two inventive and productive dimensions of the human mind, that is imagination and creativity, are surprisingly and contemporarily present in a videogame project. Bruno Munari defined the former as «a faculty of the spirit capable of inventing mental images different from reality both in detail and on the whole», whereas he described the latter as «a productive capacity where imagination and reason are connected, so that the result obtained can always be put into practice» (1971, p. 87). The complexity of translating the languages of these two intellectual abilities in real terms, and making them coexist with the technologies necessary to operate the artefact-game (either video- or not), are the fundamental tasks of a game designer's work. These designers' skills are manifold: first of all, they can and also must combine a potentially boundless imagination with a creativity that is instead curbed by the refined technologies, indispensable to the success of the game. In fact, in the ludic context, we look at creativity as:

> the ability to recognize new relationships between objects and ideas in an original way, to use them sensibly but in an unusual way, to identify new problems where, at first glance, there do not seem to be any, to abandon the usual scheme of thinking and to consider nothing as stable or immutable, as well as developing ideas outside the norm. (Bertolo & Mariani, 2014, p. 138)

Besides, game designers almost never work on their own but rather in a group in which other creative people are involved as members of a professional team with various specific skills who creates a product addressed to the community.

The project of a videogame is the result of a «collective intelligence» (Lévy, 1994) formed not only by a team of designers, who are in fact heterogeneous (game designers, programmers, engineers, storytellers, marketing experts, etc.) but also by the players themselves. The latter actively contribute to the invention and improvement of games during the design, production and consumption phases. These include beta testers, in charge of testing the temporary versions, play testers evaluating prototypes, and players belonging to virtual web communities taking part in multiplayer gaming.

In this specific sense, the activities of a game designer and of a player seem to share many common characteristics: they are more fruitful when they are collaborative and both have to do with a creative process that follows a specific "mode" – that I call restrained – in reference to the term used by Enzo Frateili to define the creative act typical of design. Based on an initial flash of inspiration (very similar to that of an artist), the creative process of a designer has the intrinsic necessity of becoming tangible as an object. In order to do this, the designer "formalizes" the creative act through a more intuitive process. This is gradually channelled by the constraints that derive from the combination and matching of the free initial creativity and the necessary functionality that is required of the object (Grachi, 2001, p. 149). Therefore, a designer and a player seem to be partly sharing the task of finding the best possible solution to a problem and to reach a goal by consistently putting together a complex series of constraints, rules and needs which turn out to be unavoidable.

This is not a game

Today the stimulation of such restrained creative processes can be found in simulation videogames of the cognitive type that enhance the player's reflective and sensory abilities through the range of implicit values on which they are based. I refer here to Alternate Reality Games (ARG) and to Serious Games (SG), both of which are simulation games that stimulate the so-called "parallel thinking" that is, in other words, «the possibility to simultaneously draw information from various sources». Such games develop in the wired generation such abilities as flexibility and autonomy in achieving one's aim through a communicative system making use of various languages at the same time (related to audiovisual aids, information technology and mass media). Such languages favour the development of processes of information acquisition, which are «parallel» rather than «serial» as was mostly the case with all the previous generations (Greenfield, 1985, pp. 136-137).
ARG are not just simulation videogames and not even mere on-line role-playing games but, thanks to augmented reality, they are games whose dynamics are only partially decided by the designer leaving the player the possibility to make a few choices among options that have not all been originally foreseen by the designer. ARG are "composite events" partly designed and partly left free to take different directions from those originally foreseen by their creators. They are games that, together with virtual ones, also make use of real settings as they require the player to interact with the game characters in real physical places by using a portable device.[1]
A quintessential ARG is World Without Oil (WWO) of 2007, a MMORPG (Massively Multiplayer On-line Role-Playing Game) designed by an outstanding team of designers supervised by the American designer Jane McGonigal. WWO was a sort of open source narrative, carried out by thousands of players who cooperated to solve an imaginary world crisis. After having preannounced a presumed oil shock on the web, the game presented the general conditions of the crisis and invited the players to describe the difficulties they would have to face and to collaborate so as to think up the simplest and most practical ways to make the best of the circumstances and/or overcome them. Apart from the extraordinarily important real results which served to create records shared by educators, policy makers, designers, etc., the innovative scopes of the digital narrative of WWO have greatly influenced its capacity of interaction. They also have reduced the gap between reality and game as never before, so much so that the explicit message – almost a coded message that McGonigal has delivered in her texts as regards the project – is "This is not a game" (2003).
As a matter of fact, it is legitimate to imagine that this type of narratives are not simply videogames and make them include, as stated by Enrico Varsi:

composite narratives that unwind not exclusively according to a pre-programmed software. The reconstruction of a fictional world by the authors will not only consist of computer codes but also of a diverse narrative framework mingling novel, cinema, television, information of various types (historical, etc.) to stage a fiction more realistic than reality, hyperreal. (2018, p. 34)

This is one of the most promising solutions to the theme of the so-called "mutilated communication" of videogames generated within the interpretation of cognitive psychology. If, on the one hand, this has first identified a language with its own autonomous grammar and syntax in this new medium, on the other this interpretation has also outlined its limitations as being outside of the linear and accomplished boundaries of a novel. As stated by Francesco Carlà:

the interactive communication that is brought about by a videogame is largely and in any case a mutilated communication. In any fictional videogame, where the players become the protagonists of a story, our action is limited to and aimed at reconstructing a programme stored in the memory of the machine. (1996, p. 13)

In this sense the possibilities that players have at their disposal are always limited and predestined, even though they may create original combinations, or games, that are never the same. Therefore, if we consider videogames as a hypertext whose narrative can be compared to the traditional ones and with a linear structure, it is undeniable that they are a limited reconstruction in retrospect of the implicit values around which the game was designed. But if instead we consider a videogame as «an activity which takes place according to established rules and holds an evaluation of the players' efforts» (Jull, 2009, p. 20) and that "exists" in a world which is a mix of a videogame, role-playing game, pre-existing reality and hyperreal construction as is the case with an ARG, it is then possible to create a game on design supplied with poetics which is not just the result of the designer's creativity but also of the players'/students' creative solutions. The subsequent evaluation of their efforts, the value of the experience they had, the enacting of their individual creativity would also stimulate the so-called visual thinking, or the possibility to safely experiment the students' behavioural, affective, and cognitive rules in regard to the new fields of research. In fact, through games, players "safely" put their aesthetic-cognitive abilities into action. They can make use of choices related to diverse scales of values to see the resulting consequences without causing damage to themselves or the others (Bittanti, 2005, p. 11).

Serious games and educational process

The type of videogames considered more suited to stimulate this type of learning are the so-called Serious Games (SGs) in which simulation themes, learning and conveyance of contents foster guided training processes: «they are anti-escapist games that are played to obtain more from real life, unlike those games which are played to escape from it» (Mc

Gonigal, 2011, p. 46). Such games are aimed at «building up the players' competences or conveying a rhetorical message so as to make the players reflect on a particular theme» (Salvador, 2015, p. 864).

In Italy SGs is generally translated with "giochi applicati" or applied games, and not with "giochi seri", or serious games, and this because Italians prefer to underline the inventive and proactive resolution aspect rather than focus attention on the still controversial theme of their seriousness, as their aim goes beyond sheer entertainment.[2] More precisely, «an applied game is a game that deals with a complex theme without revealing it, that is to say presenting itself as an ordinary game like any other» (Maestri *et al.*, 2015, p. 68). This type of game stimulates experiences that do not isolate the player in a world of self-referential and gratuitous amusement, but rather fosters «a shared and, at the same time, significant game experience, which generates satisfaction and knowledge for the players and improves non-linear vision, critical analysis and problem solving» (McGonigal, 2011). Suffice it to say that that some *SGs* today face such themes as industrial or road safety ("S-Drive", Samsung, 2014), solve business problems ("Lego Serious Play", Lego, 2000[3]), introduce correct practices and habits as regards the conservation of our planet's resources ("Food Force", FAO, 2005), deal with situations and contexts with important socio-political implications such as the Palestinian conflict ("Under Siege", Dar al-Fikr, 2005).

The characteristics above-mentioned require further specification on the two major speculative theories which justify the borderline choice of this article on creating a game on design as an instrument for university education. The first theory considers serious games as a teaching instrument whose principal purpose is to make learning a pleasant, interesting and accessible experience.

Instead, according to the second approach, many cultural manifestations possess in themselves ludic aspects and in this case the connection between learning and playing games is no longer contingent but pertinent. The principal theme put forward in this essay is that games can be part of the learning process especially when the subject of learning is, in certain respects, essentially ludic. Therefore, the use of an SG in the process of learning can illuminate the fundamental nature of the subject taught.

Thus, a game on design, instead of being considered an efficient technique to make the approach more appealing, will rather be a genuine means of investigation. Therefore, videogames on design are not to be considered a playful device to interact with objects, but rather an instrument to enhance knowledge and aptitude for design, creativity and overview by content learning and the simulated experience in a complex adventure. A game specifically created for budding designers acting as a training ground to experiment values, that is able to stimulate visual thinking in new fields of enquiry (Rosa in Felini, 2012, p. 49).

Games on design: an overview

One of the most famous videogames on the market in which the player has to create, invent, manipulate and move objects in a given space is undoubtedly "Minecraft"

(*Mojang*, 2010), the most sold PC videogame of all times. It is a sandbox, a typical videogame that offers the players' numerous instruments without imposing a particular goal to be pursued but leaving them free to invent their own aims along the way and consequently modify their game world. "Minecraft" is a virtual universe where it is practically possible to build anything by means of cubes that look like enormous pixels. Inside the world of "Minecraft", the players move themselves and can interact with any existing element picking up, dismantling, making and building materials, objects, instruments and the like. The possibility to create an object by "reassembling" it is especially to be appreciated and this is carried out by starting from a framework of reference according to the so-called "fixed formulas" that in the game consist in respecting the boundaries related to the dimensions and the materials used.

There are then a series of videogames on the more specific theme of interior home decoration such as "Design Home" (Crowdstar Inc., 2016). This is a refined hybrid of a game, a community and e-commerce. In this game the player becomes an interior decorator and finds solutions to make the 3D interiors more beautiful which the players' community then evaluates. Centred on the purchase of objects to be placed in one's home and on the interaction with the community of the other players-designers busy doing the same activities and judging the others', "Home Design Story" (Storm8 Studios LLC, 2012) is another videogame belonging to the same series. Also the spin-off, "Animal Crossing: Happy Home Designer" (2015), result of the collaboration between Nintendo and IKEA, promises players "fond of design", not only to decorate and satisfy their whim of personalizing every room, from top to bottom, but also to learn new techniques such as ceiling decoration, the creation of personalized models and the production of made-to-measure furniture. This promise partially falls short of the expectations, as learning in the game is somewhat linked to the choice of pre-defined textures.

However, it is worth pointing out that the abilities involved in such games are related to the speed at which the players perform the tasks (i.e., moving, painting and assembling) and not to the identification of possible solutions, more or less restrained, creative or not, to the "construction" of the object or space. The collaborative dimension is nearly absent while competitiveness becomes important only according to the final formal consistency of the space created.

Therefore, in general, these are videogames dealing with design as the reconstruction of a given space and not as the simulation of problem solving or the exploration of specific environments connected to certain cultural situations. "Minecraft", for example, allows players to remodel any type of known interior/exterior but it is based on the individual whim of each player without offering particular options or inspirations.

A quintessential contribution to games on design is instead "Play40" by Isao Hosoe, a card game aimed at stimulating ideas and based on the association of images, words and concepts, typical of eastern culture.[4] Hosoe's words describe the purpose of the game:

Cards are for playing with ideas, creating new ones, and stirring up those elements that lead to design considered as a way of thinking and operating which epitomizes the profession of the designer as a whole, that is to say concentrating all the complexities in a perfect synthesis. (Best, 2010, pp. 1-3)

The method underlying the game is that of abduction, that is a procedure which puts forward an explicative hypothesis starting from certain and explicable premises. In the abductive reasoning framework of "Play40", Hosoe concentrates the characteristic aspects of a designer's work and identifies them in some rhetorical figures/cards symbolizing specific creative-reflexive abilities and proposes certain activities. The strong point of "Play40" actually lies in its capacity to connect people and things, past and future, memory and innovation, nature and culture, thus giving vent to suggestions, in-depth analyses and unexplored prospects. These are the key, immersive passages linked to the processes of conceiving and ripening of ideas.
This line of reasoning cannot but be enhanced by the video-ludic system on condition that, starting from abductive reasoning, the creative-critical challenge of design training be faced, also from those angles that are necessarily excluded from an analogical game as is the case with "Play 40" and from traditional education. I refer here to the basic narrative that leads to the interaction with a virtual universe and stimulates visual thinking. The immersion in "narrated" thematic sceneries would give the students a better understanding of the content to be learned and is meant to be a superstructure of storytelling which contextualizes contents by mediating their function (Salvador, 2015, p. 130).
Within this narrated framework, the students-players can autonomously live an experience intensified by their emotional involvement and oriented towards education through all the ARG systems that can be used to gather parallel information to be transferred into the game-system, and help solve the problem/final objective in specific fields of enquiry. On the one hand, students will be able to reconstruct the old (history, culture) that revolves around design through the immersive reading of contents; on the other hand, they can measure themselves with a challenge to design the new by using contemporary instruments which allow them to learn several things simultaneously and find personal solutions. In the best-case scenario, utopian perhaps and yet desirable, it would be possible to spur students to try collective design choices, exactly like in "Minecraft", by making up an object following formulas underlying the game itself, to autonomously take a different way. Still in the wake of the success of "Minecraft" (this time in the mode called creative), this way has shown that the community of on-line players has been able to autonomously organize creativity competitions by inventing extraordinary new objects.
The impressive success of ARG and SG games makes this sector an intrinsically social activity able to involve the growing wired generation in an experience that mingles technology, teamwork and enhancement of parallel thinking. Therefore, it is desirable to positively evaluate the conditions necessary for a game on design to acquire an educational value and to become part of traditional learning methods. In this sense, the objective of an SG as an active learning instrument for young designers cannot but open up new horizons of knowledge and immersive application of the instruments and characteristics of the discipline.

[1] Launched on the market as far back as 2002, the most famous ARGs are "I Love Bees" (used in the marketing campaign to launch the "Halo 2" videogame in 2004) created in the wake of the success of the mystery game known as "The Beast". This was produced in 2001 by an impressive team of Microsoft designers in order to market Steven Spielberg's movie, "AI: Artificial Intelligence". For a thorough examination, visit www.ilovebees.com and http://www.aintitcool.com/node/8659.

[2] The antinomy "game *vs* seriousness" dates from the first philosophical theory of J. Huizinga in which the ludic activity is described for the first time as meaningful but also as an end in itself, spatially and temporally separated from the demands of practical life and bound to an autonomous set of rules. For an in-depth interpretation of Huizinga's theories, see Bogost, 2006.

[3] "Lego Serious Play" was the result of the 1999 experiment by Johan Roos and Bart Victor of the IMD Business School of Lausanne and after the publication of their article entitled "Towards Model of Strategy Making as Serious Play" that aroused such widespread interest that *Lego* commercialized their method under its own brand. To find out more, visit: http/www.serious.play.com, "Imagination Lab Foundation" and see the text, "Lego Story" (2012).

[4] Rationality, calculation and risk are, in fact, characteristics more appreciated in games belonging to western tradition.

References

> Bertolo, M. & Mariani, I. (2014). *Game design. Gioco e giocare tra teoria e progetto.* Milano-Torino: Pearson Italia.
> Best, K. (2010). *The fundamentals of Design Management*, Ava Pub Sa.
> Bittanti, M. (edited by). (2005). *Gli strumenti del videogiocare. Logiche, estetiche e (v)ideologie.* Milano: Costa & Nolan.
> Bogost, I. (2006). *Unit Operations. An Approach to Videogame Criticism.* Cambridge, MA: MIT Press.
> Carlà, F. (1996). *Space invaders: La vera storia del videogames.* Roma: Castelvecchi (this is the 2nd edition, revised and updated, of the 1993 text bearing the same title published by Internaction Libri, Roma).
> Felini, D. (edited by). (2012). *Video game education. Studi e percorsi di formazione.* Milano: Unicopli.
> Grachi, P. (2001). *Enzo Frateili. Architettura Design Tecnologia.* Milano: Skira.
> Greenfield, P. M. (1995). *Mente e Media. Gli effetti della televisione, dei computer e dei videogiochi sui bambini* (1984). Roma: Armando.
> Huizinga, J. (1938). *Homo Ludens.* (recommended edition, Torino: Einaudi, 2002).
> Juul, J. (2009). *A Casual Revolution Reinveinting Video Games and Their Players.* Cambridge: The MIT Press.
> Lévy, P. (1994). *L'intelligence collective. Pour une anthropologie du cyberspace.* Paris: Découverte.
> McGonigal, J. (2003). *This is Not a Game: Immersive Aesthetics and Collective Play.* Melbourne: DAC. Retrieved from http://hpertext.rmit.edu.au/dac. (2017).
> McGonigal, J. (2011). *Reality Is Broken: Why Games Make Us Better and How They Can Change the World.* London: Penguin.
> Maestri, A., Polsinelli, P., & Sassoon, J. (2015). *Giochi da prendere sul serio. Gamification, storytelling e game design per progetti innovativi.* Milano: Franco Angeli.
> Munari, B. (1971). *Artista e designer.* Roma-Bari: Laterza.
> Pecchinenda, G. (2003). *Videogiochi e cultura della simulazione.* Roma-Bari: Laterza.
> Roos J., & Victor, B. (1998). Towards Model of Strategy Making as Serious Play. *European Management Journal*, 17/4.
> Salvador, M. (2015). *In gioco e fuori gioco. Il ludico nella cultura e nei media contemporanei.* Milano: Mimesis Ed.
> Traini, L. & Ferrari, D. (2011). *Neoludica Art and Videogames 2011-1966.* Milano: Skira.
> Varsi, E. (2018). Cultura del videogioco. Studi e ricerche. Retrieved from http//www. aesvi.it/cms/attach/studi_e_ricerche.pdf (2018).

The invention in everyday life

Michel de Certeau in the book "The Practice of Everyday Life" proposes the dimension of creativity as a widespread and multi-directional process, fueled by social dynamics and individual "tactics", able to evade and transform the sense and the objectives of knowledge and institutional powers. The text sets out some elements of the complex thought of the French scholar, useful to enrich the debate, the language and the visions of contemporary design. In fact nowadays the notions of "invention" and "everyday life" are recurrent in the design discourse, especially with reference to the emergence of a society founded on the diffusion of network technologies, data accumulation, artificial intelligence. "Circumscribe the place" generated by this combination allows us to highlight the creative ability of people "in their social interaction" and the relevance of the socio-cultural and territorial contexts in which daily "inventions" are activated, generated by knowledge and practices that are not formalized.
Moreover, the design culture has developed a broad reflection around the often exemplary quality of anonymous objects; it may be interesting to add the point of view of an author who has pointed out that even the anonymous consumer is actually also a designer and producer, capable of expressing invention and innovation in the use and interpretation of things.
Today it is evident that the designer's planning is changing in open and participatory design situations and in the creative processes activated by forms of collective and connective intelligence (Lévy, de Kerkhove, Mulgan, Manzini), especially in relation to some collaborative and systemic experiences developed around the themes of sustainability and able to produce "contextual value", of which some illustrative readings are proposed.

[collective intelligence, connective intelligence, contextual value, everyday life, invention]

Viviana Trapani

Associate Professor, Università degli Studi di Palermo
> viviana.trapani@unipa.it

In the early eighties the French scholar Michel de Certeau in the book "The Practice of Everyday Life" analyzes the dimension of creativity as a widespread and multidirectional process, fueled by social dynamics and individual "tactics", able to evade and transform the sense and the objectives of knowledge and institutional powers. Through the direct and "immersive" investigation of common practices of everyday life, for the first time the underground but disruptive force of «an irreducible instance of expressiveness acted by the common man within a historical-social reality is fully evident», (Morcellini *et al.*, 2015, p. 9); in this way the concept of "man without quality", contemporary, is reversed, indicating the ability to be an inventor and active subject of daily life and to subvert deeply in the use the products defined by political or economic strategies.
The radical and clearly antidisciplinary approach of de Certeau (2012, p. 9) did not generate a direct line of theoretical development, probably because of its peculiarity of not being circumscribed in a specific academic field. However, "The Practice of Everyday Life" is today referred to as «one of the great hinge-texts of the end of the century»: in fact, it has placed the foundations for the definition of Cultural Studies, contributing to the dissemination of semiotics and encouraging theoretical and methodological crossings in many fields of human and social sciences (Di Cori, 2010, p. 287).
We can therefore think that this text, at the same time so alienating and stimulating for those who go into the «landscape of a research», can also provide design with a ground for reflection to retrace from an unprecedented and "lateral" point of view the essentially cultural dynamics related to some of its transformations and transitions, both historicized and in progress.
This study aims above all to focus on some significant passages concerning the evolution of the discipline from the design of the industrial product to the design of complex, systemic and participatory processes that, by overcoming the authorial dimension, become for many aspects the result of a creative activity expressed by an entire planning society, based on the informative, communicative, intangible, multidirectional networks of the web.
The richness and non-systematic nature of the text, makes it impossible, as well as unrealistic in the specific context of this contribution, a systematic analysis of the multiple constructions and connections of meaning related to the "common practices", the "ways of doing" of which de Certeau wants to try to «circumscribe the place». Therefore, the present study will only indicate in the work of de Certeau some glimpses that can enrich the debate, the language and the visions of contemporary design, in order to foster an ever closer and more conscious interaction between techno-scientific developments and cultural processes – creative and cognitive – oriented by the self-determination of people, communities, social groups.

Invention and everyday life

"Doing" is a recurring term in de Certeau because – coherently with his Jesuit formation – it expresses the centrality of the practical and operational aspects that must always emerge from the theoretical investigation and which are the root of the inven-

tion spread in everyday life. The invention referred to by the author takes us back to the double meaning of the corresponding Latin term: *invenire* means both to find and to choose. Therefore, it is emphasized «the reactive aspect and the autonomy of the subjects in their social interaction, in attempting to construct "other" spaces in opposition to those imposed" (Di Cori, 2010, p. 315); this term indicates a pre-methodological and experimental design dimension built within a precise space-time context. Also today invention and daily life, with other motivations and characterizations, refer to each other in the design discourse, especially with regard to its cultural-anthropological value, increasingly relevant in the knowledge society, based on the diffusion of network technologies, accumulation data, interaction, artificial intelligence.
«Circumscribe the place» generated by this combination allows us to highlight not only the creative ability of people "in their social interaction", but also the intrinsic quality of the socio-cultural and territorial contexts in which daily "inventions" are activated, generated by knowledge and practices that are not formalized, of an organizational, productive, communicative and political nature.
To this perspective have contributed, for example, the various investigations and critical considerations which over time have concerned the "anonymous design", a category that includes objects of which the designer is unknown, but which constitute the large part of the system of artefacts that surrounds us; of different consistency and complexity in relation to the technical-scientific, semantic and performance aspects, these objects are appreciated as an exemplary model of synthesis between performativity, material reduction and expression adherent to the function, narrating the deep connection between design and material culture.
Already at the origins of the historiography of design, Sigfried Giedion (1948) proposes to reconstruct an «anonymous history» of objects to understand the transition to the era of mechanization; a history which was already perceived by the author as «terribly complex», that must be faced
«by rediscovering and interpreting that big bundle of daily actions, anonymous actions of mostly anonymous actors, of which the great historical events are ultimately nothing more than the most conspicuous traits».[1]
Even V. Gregotti in his history of the Italian product does not fail to point out that the issue of industrial design is placed within «the point of view of material culture» (Gregotti, 1986), therefore in the dimension of daily life, where it is essentially the act of fruition to "invent" the objects, transforming their technical and performance implications into cultural facts.
Well-designed objects, but without author, have fascinated and nourished the creativity of designers, as products of a «collective intelligence», which expresses the creative ability and the conditions of a context rather than a single architect or designer; an attention that, in addition to refined catalogs, has also produced processes of regeneration and transfer from "inventions in the everyday" to the authorial and industrial production, often activating microstories [2], which enlighten fruition and intelligence practices of specific contexts.

To the extensive literature on the subject of anonymous design it may be interesting to add the point of view of de Certeau, when he points out that even the "consumer" is actually a second designer/producer, who expresses:

a smart dispersed activity, which creeps in everywhere, silent and almost invisible, because it does not stand out with its own products but through the ways of using those imposed by a dominant economic order. [...] users play with the dominant cultural economy, operating within it innumerable and infinitesimal transformations of its law according to their own interests and their own rules. (de Certeau, 1990, p. 7)

Today it is evident how the act of fruition can lead to effective and innovative project modalities: the ideational action is being modified in its dialectic with the open design situations and with the affirmation of the prosumer[3] – figure from the many and conflicting meanings – that intervenes as co-protagonist of the project. One wonders, therefore, whether design planning should not always be considered in its permeability with the "ways of doing" and with those «complex formalities (and not at all simple or poor)» (De Certeau, 1990 p. 10), represented by pre-industrial craftsmanship and today by new digital manufactures; but especially if today design does not have to comply, increasingly consciously in its aims, in its tools, its procedures and methodologies, the development of forms of «collective intelligence», which can really deal with the complex and large-scale problems of contemporaneity.

Design and Collective Intelligence
An intelligence distributed everywhere: this is our starting axiom. Nobody knows everything, everyone knows something, the totality of knowledge resides in humanity. There is no reserve of transcendent knowledge and knowledge is nothing different than what people know (Lévy, 1996, p. 34).
According to the philosopher Pierre Lévy, collective intelligence can be defined as the process of management and sharing of knowledge, now favored by information and digital communication technologies in cyberspace, «the changing space of the interactions of the various competences of the intelligent collectives deterritorialized», but aggregated around common interests, sensitivities and objectives; through the possibility of sharing knowledge and skills of elaboration, people can fully develop their predisposition to work and learn together, generating «distributed knowledge». While Derrick de Kerckhove (2001) introduces the notion of «connective intelligence», oriented towards a design action that develops in relation to a specific problem, around which many connected intelligences collaborate within an open system.
Around the concept of collective intelligence have also developed well articulated theories that look at a new global business model, based on participation and sharing, through the pervasive use of collaborative networks and online platforms (Tapscott & Williams, 2006).

On the other hand, design culture has elaborated these issues especially around strategies for systemic sustainability; from a first wide user centered design approach[4] to the activation of social innovation processes and to the elaboration of co-design methodologies, the discipline has grasped the importance of the "empathetic" listening of the various actors of the project , the inclusion of knowledge and skills that are widespread and not formalized, for designing in real and daily contexts (Rizzo, 2009). It is in the concept, still open and evolutionary, of co-design that is explicit within the disciplinary field an equal collaboration between designers and users, even if still mediated by tools and methods developed in the specialist area of design.
Already de Certeau (2012) had noted in his research that the «technical path to follow consists in bringing back the practices and the scientific languages to their place of origin, the everyday life», indicating the overcoming of that line of demarcation attributable to modernity which affirms «[...] the powers of techniques on social practices. It separates the procedures of a specific knowledge from the natural languages on which the common signifying activity is based».
Perhaps today this limit, deeply rooted in industrial culture – therefore in the culture of design –, begins to be crossed, although sometimes also in an ambiguous and dystopian way. But it is significant enough that Jeoff Mulgan, director of NESTA[5] and theoretician of the virtuous connection between men and machines, in his book on the innovative potential of the "Big Mind" processes (Mulgan, 2018, p. 47), concludes the review of the "functional elements of the collective intelligence" with a reference to the Aristotelian categories of thought and in particular to *phronesis*, the wisdom:
What we recognize as a supreme form of intelligence is not the application of standardized protocols to many different types of problems, but the ability to understand the specific character of places, people and particular moments. (Mulgan, 2018, p. 47)
On the other hand, Magatti and Gherardi in their reading of post-crisis social and economic dynamics, by tracing the characteristics of a possible "new prosperity" reveal the emergence of that cultural and ideal dimension, which must support and revitalize the technical-material dimension; a trend reversal that can develop – according to the authors – around the concept of "contextual value" (or shared), as a premise to "bind" again economy and society.

The basic idea is that the creation of economic value, in the opening phase of capitalism, is linked to the relationship between individuals and between them and the surrounding environment, therefore the enhancement of the context in which we live. [...] The contextual value translates very concretely into the production of those goods that improve the quality of the context in which we carry out our activities as individuals and citizens. (Magatti & Gherardi, 2014)

These analyzes can contribute to provide a broad and interdisciplinary theoretical framework to the enormous openness of collaborative possibilities that has brought to the fore the mediation and relationships construction skills of design, especially in relation to complex and systemic experiments developed around the themes of sustainability; but it is also a question of revealing the ability to read, interpret, participate in the scenarios of everyday life, a notion that – from de Certeau to today – has been enormously expanded and open, becoming for design the material and immaterial place of a «social conversation» (Manzini, 2015, p. 49) that aims to find (therefore to invent) shared solutions and new possibilities.

Designing the contextual value

Slow Food was indicated in 2007[6] as the most significant example for the construction of a "new design knowledge", able to express the deepest qualities of Italian design, as an «initiative that has had the ability to enhance at the same time products, communities, territories [...] a magnificent example of contemporary Italian design and of a great project research program» (Manzini, 2008, p. 15).
An indication that opened at that moment a debate and marked a turning point in relation to the disciplinary definition of design, reinforcing, especially in the research field, the strategic and environmental value of design around the theme of food, collaborative networks, distributed economy and territorial and cultural bio-diversity. The recognition of the Slow Food experience[7] with the Compasso d'Oro 2011 – as an example of service design – also emphasizes that its novelty is to be a network project that contains and nurtures other projects or – how says E. Rullani (2010) – «an idea able to express a way of life, focusing on the relationship with food and the territory. [...] a real supply chain that expands along the ways opened by the propagation of the idea» (p. 107).
This is a non-linear but "reticular" supply chain, in which goals, practices, territories, and communities act. While the "idea of an ethical and conscious way of life" of which it is the bearer is activated and regenerated in the daily preparation and consumption of food: perhaps the most widespread and participatory design and cultural practice, attributable to one of those «complex formalities (and not at all simple or poor)» of which de Certeau had already guessed the ability to reverse/reconfigure the sense of merely economic processes.
It is proposed, in conclusion, a reflection about the case of a productive, territorial and environmental project, also driven by «an idea of a way of life», yet fully immersed in a dimension of concreteness and daily life understood above all as proximity; an experience that offers multiple levels of innovation, able to feed territorial chains of collective and connective intelligence in the production of contextual value.
The project vision ability, the identification with a local community, but also the scientific rigor in research are the qualities that have driven the work of Daniela Ducato, coordinator of an award-winning project, which gave life to a district of green building in Sulcis : in fact, it is located in Guspini, in the mining south of Sardinia, the research and experimentation center that has given rise to Edizero supply chains – about thirty different product lines – fed by companies and small producers spread throughout Sardinia.

Daniela Ducato's "idea of expressing a way of life" consists in using the waste from agricultural productions spread throughout Sardinia to "invent" new materials to be used in sustainable building, in design, in many "repair" interventions of the environment, also favoring the virtuous reconversion of many traditional activities in crisis. The shearing wool, the fibers obtained from beached algae, the residues of wine and dairy products, cork, hemp, raw earth and *terra cotta*, are transformed into products with environmental, social and ethical values, but also in opportunity of invention and experimentation for designers and people who adhere to the idea of a clean habitat, devoid of chemical compounds harmful to health, integrated into natural processes.

The experience tells the work of an extensive research, experimentation and construction of relationships between artisans, producers, research centers, universities, designers and users, in a problematic territorial context assumed as a specific condition of the project; a possible model of virtuous growth that, continuing to expand and gather international recognition, has the ability to express a territorial and ideal "center", based on the relationship and on the enhancement of "near" resources, in the invention of a fully sustainable everyday life.

[1] Cfr. Giedion, 1967. The quotation is taken of second cover page.

[2] Between the end of the seventies and the beginning of the nineties, in Italy has developed a historiographical direction which stems from the reflection of some scholars gathered in the journal "Quaderni storici" (Ginzburg, Levi and others). *Microstoria* refers not only to the dimension of the object of the research, but also to the variation of the observation scale, which allows to focus on subjects usually placed at the margins in historiography, however catching them in relation to a wider context and not defined *a priori*.

[3] In the book *The Third Wave* of 1980 Alvin Toffler coined the term "prosumer", predicting that the roles of producer and consumer would begin to merge and meld; in a market strongly saturated with standardized goods, the companies would have started a process of "mass customization", that is, highly personalized productions especially in defining the aesthetic characteristics of the products.

[4] Human-centered design is an approach to the development of interactive systems that aims to make the systems usable and useful by focusing on users, their needs and requirements and applying parameters such as human factors, ergonomics, usability knowledge and techniques. (ISO 9241-210:2010 Ergonomics of human-system interaction)

[5] National Endowment for Science Technology and the Arts is considered the most important British organization for social innovation. https://www.nesta.org.uk

[6] International Seminar Slow + Design, Polytechnic of Milan, October 2007

[7] Founded by Carlo Petrini in 1986, it became an international association in 1989. Today, with the spread of the Terra Madre network, it has 100.000 members worldwide, with offices in over 130 countries. Slow Food promotes the variety of places of production and craftsmen, the respect of seasonal rhythms, the defense of agri-food biodiversity and places as part of the heritage of material culture.

References

> Appadurai, A. (2014). *Il futuro come fatto culturale. Saggi sulla condizione globale*. Milano: Raffaele Cortina.
> Bassi, A. (2007). *Design anonimo in Italia. Oggetti comuni e progetto incognito*. Milano: Electa.
> Broadbent, S. (2012). *Internet, lavoro, vita privata. Come le nuove tecnologie cambiano il nostro mondo*. Bologna: Il Mulino.
> de Certeau, M. (1980). *L'invention du quotidien. vol. 1 Art de faire*. Parigi: Gallimard. (L'invenzione del quotidiano. trad.it. 1990. Roma: Edizioni Lavoro).
> de Kerckhove, D. (2001). *The Architecture of intelligence*. Basel, Boston: Birkhäuser (trad. it. L'architettura dell'intelligenza. La rivoluzione informatica. Torino: Testo & immagine).
> Di Cori, P. (2001). *Porte girevoli. A partire da «L'invenzione del quotidiano»*. In M. de Certeau *L'invenzione del quotidiano*. Roma: Edizioni Lavoro.
> Gregotti, V. (1896). *Il disegno del prodotto industriale. Italia 1869-1890*. Milano: Electa.
> Giedion, S. (1948). *Mechanization Takes Command*. Oxford : Oxford University press. 1948 (trad. it. 1967, *L'era della meccanizzazione*. Milano: Feltrinelli).
> Lévy, P. (1996). *L'intelligence collective. Pour une anthropologie du cyberespace*. Paris: La Découverte. (trad. it. 1994, *L'intelligenza collettiva*. Per un'antropologia del cyberspazio. Milano: Feltrinelli).
> Magatti, M. & Gherardi, L. (2014). *Una nuova prosperità. Quattro vie per una crescita integrale*. Milano: Feltrinelli.
> Manzini, E. (2008). Il design italiano tra riflessività e ricerca. In P. Bertola & S. Maffei (edited by). *Design Research Maps. Prospettive della ricerca universitaria in design in Italia*.
> Manzini, E. (2015). *Design, When Everybody Designs*. MIT Press.
> Monterosso, F. (2013). *Open Design. Pratiche di progetto e processi di conoscenza*. Siracusa: Lettera Ventidue.
> Morcellini, M., Borrelli, D. & Tarquini F. (2016). Michel de Certeau. Un pensiero sconfinato consegnato alle scienze sociali. *Comunicazionepuntodoc, n.14/2016*.Retrieved from http://www.coris. uniroma1.it /rivista-comunicazionepuntodo.
> Mulgan, G. (2017). *Big Mind: How Collective Intelligence Can Change Our World*. Princeton: Princeton University Press.
> Rizzo, F. (2009). *Strategie di co-design. Strategie, metodi, strumenti per progettare con gli utenti*. Milano: Franco Angeli.
> Rullani, E. (2010). *Modernità sostenibile. Idee, filiere e servizi per uscire dalla crisi*. Venezia: Marsilio Editori
> Tapscott, D. & Williams, A. D. (2008). Wikinomics: *How Mass Collaboration Changes Everything*. New York: Peguin/Portfolio Trade. (trad. it 2006. Wikinomics 2.0. *La collaborazione di massa che sta cambiando il mondo*. ETAS).

Focus gallery

The Grotto - Future Bodies, Bart Hess, 2015.

Inventions, interactions, bodies

Neodigital bodies that overcome the logic of nature, wearable technologies that increase certain physical abilities, products that foreshadow possible futures by going beyond limits or barriers: the inventive thinking adopts the body as a medium for its radical exploration. Contemporary design examines and reinterprets the external layer – the epidermis – as the receptive and reactive membrane to external impulses. The skin appears as the most suitable element for a renewed understanding of the perceptive relationships with the natural and artificial environment. Through this, the new frontiers of wellness are explored with products similar to drugs, high performing and integrated with the human being.

Prosthetics, extensions, amplifying and protective devices: design imagines and reinvents a natural body increasingly hybridized with digital technology. Interactions through and with the body outline scenarios where man constantly tries to challenge his limits, while the culture of design hybridizes from time to time with disciplines related to areas such as microbiology, material engineering, chemistry, electronics. The tangibility of our existence passes through a revisitation of sensoriality, for both speculative and practical exploration, always interdependent with digital tools and with computerized technologies.

Among the projects chosen in relation to the human anatomy, a series of seats and spaces subvert the traditional conditions of comfort, reinventing new ergonomic landscapes whose shapes take on unusual configurations, satisfying the needs of man. In returning to physical matter and the importance of our corporeity, one of the most interesting scenarios is the adoption of the individual as a singular point of departure and arrival of the object. Because the human being is at the centre of technology not only as the final destination, but as an actor in the construction of his process and of his reciprocal relationship.

Chiara Scarpitti

[reinventing health, innovative skins, neo digital bodies, boundary conditions, comfort conditions]

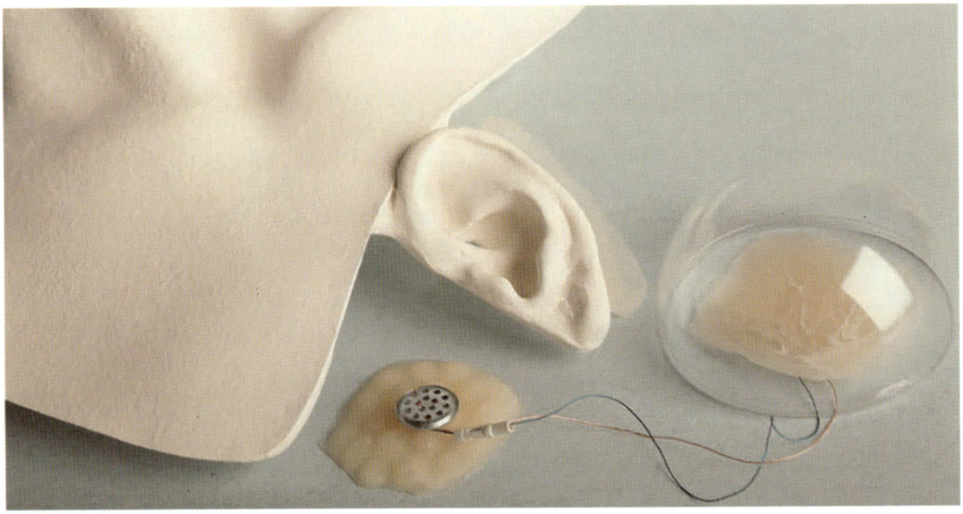

01

Reinventing health

>
The alliance between the culture of the project and scientific disciplines such as biology, medicine, genetics leads to high-performance products, aimed at the psychophysical well-being of the body. Electronic applications and bioinspired devices constantly monitor its health conditions.

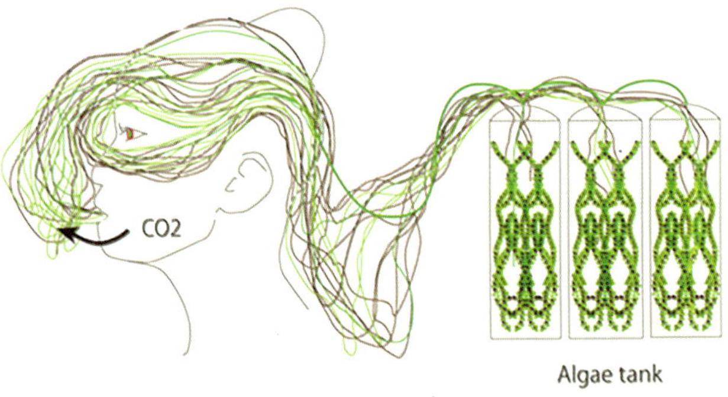

02

03

01 *Anthropomorphic Sensory Augmentation*, Lesley-Ann Daly, 2016. Wearable device capable of overcoming the limits of human perception.
02 *Algaculture*, Michael Burton and Michiko Nitta, 2010. Project for a new symbiotic relationship with algae for the strengthening of human organs.
03 Box of contrapcetive pills, Gregory Pincus and Carl Djerassi, 1976, New York. Packaging for the marketing of the first contraceptive product.
04 *Biophilia-Organ Crafting*, Veronica Ranner, 2010. Silkworms genetically modified for the creation of artificial organs.

04

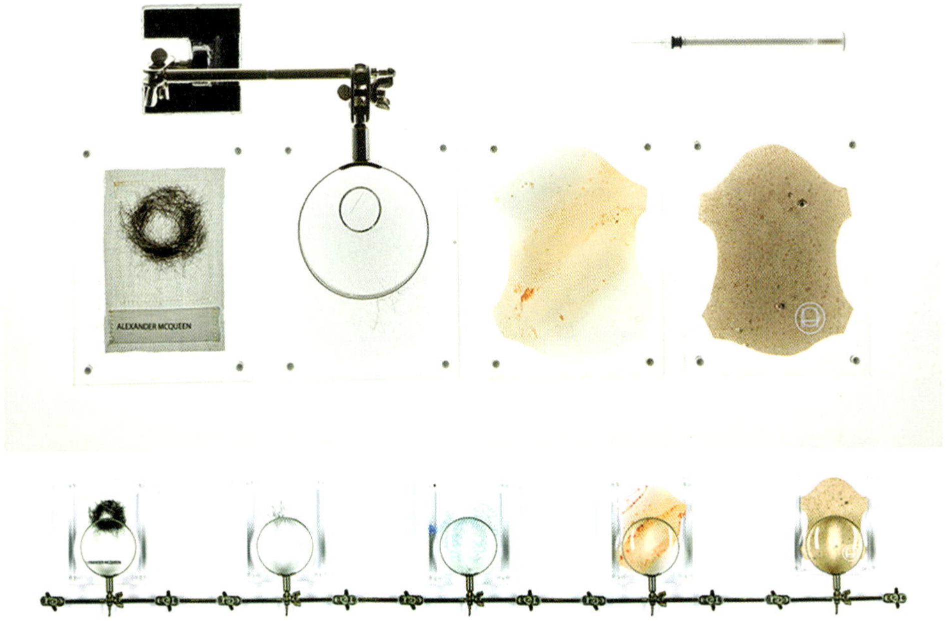

01

Innovative skins

>

The textile surfaces through which the body breathes and moves are enhanced and expanded according to a criterion of sustainability that redefines the materiality. The membranes and accessories that derive from them are configured as reactive interfaces to a rediscovered multisensory.

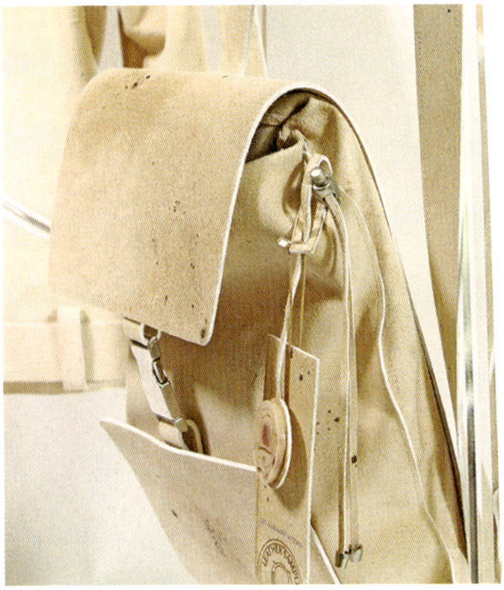

02

03

01 02 *Pure Human*, Tina Gorjanc, 2016. Project for the extraction of DNA from human biological samples and the production, through stem cells, of artificial skin for clothing and accessories.
03 *Pathogen Hunter*, Susana Soares and Mikael Metthey, 2010. Series of devices for the rapid detection of infectious organisms in the city environment used to monitor and predict potential epidemics.
04 *Haute Couture AW*, Iris van Herpen, 2018. Hand crafted textiles and use of advanced technologies for the production of bio-technological clothing.

04

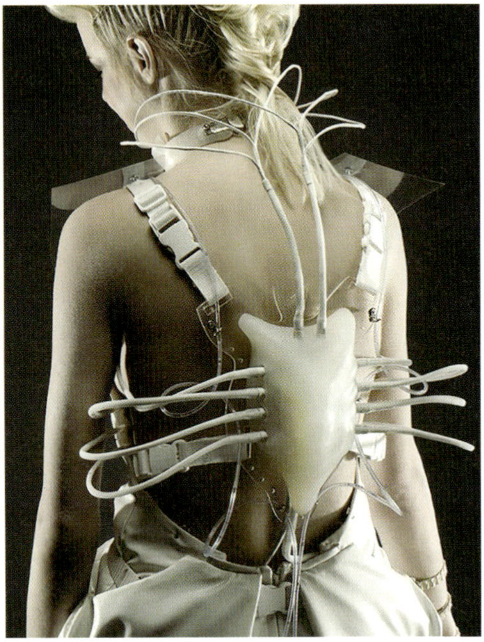

01

Neo digital bodies

>

Design creates products and clothes increasingly integrated with the human body. The digital goes beyond the immaterial, establishing tangible connections between the parametric biometrics and the external environment, towards a renewed vision of biotechnological convergence.

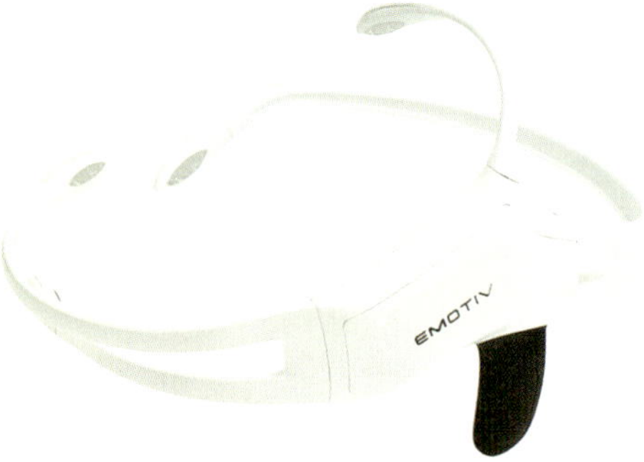

02

03

01 *DareDroid 2.0*, Anouk Wipprecht, 2010. Biomechanical dress that uses medical technologies, custom hardwares and human temperatures for preparing cocktails.
02 *Emotiv Insight 5 Channel Mobile EEG*, EMOTIV, 2015. Wireless technological device capable of monitoring activity and brain waves.
03 *Possible Tomorrows*, Ying Gao, 2017. Robotic dress capable of interacting with the surrounding people through a fingerprint recognition system.
04 *Airborne*, Husseyn Chalayan, 2007. Dresses made with LEDs embedded in the fabric, depicting urban landscapes of *Google Earth*.

04

01

Boundary conditions

>

Energies, performances, speed: from fashion to the product to jewellery, the concept of limits takes on different forms, pushing from time to time towards new frontiers, so far unexplored. The imagined scenarios turn to extreme environments, inhospitable situations, apocalyptic visions.

02

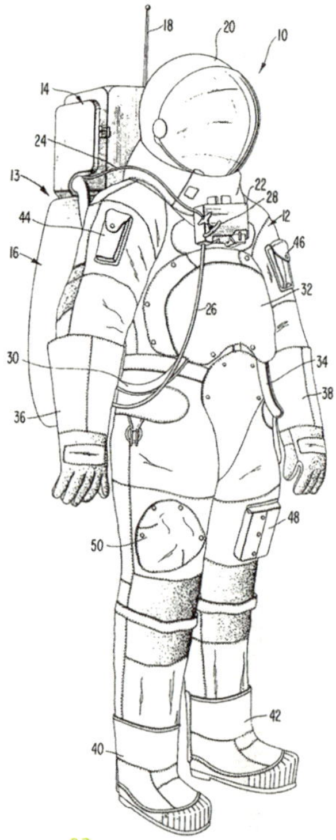

03

01 *E-pulse Conductor, Energy Addicts,* Naomi Kizhner, 2014. Kinetic jewels capable of converting the blood of the human body into energy.
02 *Pisolo*, Denis Santachiara, 1997. Pouf that contains an inflatable mattress that can be transformed, if necessary, into an emergency bed.
03 *Patent n. US 3751727 A*, Apollo Space Suit A7L, 1973. Pressure suit for high altitude flights, such as space missions.
04 J.M. Fangio driving the *camera car* Maserati 250F, 1954. The first experiments of onboard camera with the operators tied to the car.

04

01

Comfort conditions

>
Unusual seats and ergonomic spaces embrace the human anatomy, supporting it in all its needs. The design reinvents artificial environments that protect and isolate man in a sort of rarefied and made-to-measure space.

02

03

01 *Heer.* Bench for breastfeeding, Design Studio 52Hours, 2018. Ergonomic chair designed to allow mothers to breastfeed comfortably even in public spaces.
02 *Cloud Sofa*, David Koo and Zheng Yawei, 2009. Concept Levitating sofa similar to a cloud, suspended thanks to a magnetic system.
03 *Visiona II*, Verner Panton, 1970. Experimental interior realized with pure and intense colors and clear and repetitive geometric shapes.
04 *Narco*, Marie-Virginie Berbet, 2006. Housing capsule designed for short-term rest, which optimizes environmental conditions by preventing sleep inertia.

04

Maestri

Pierre Chareau. La Maison de Verre

Tonino Paris

Maestri gallery > p.184/p.191

Pierre Chareau.
La Maison de Verre

Tonino Paris

Emeritus Professor, Normal University Shanghai
Emeritus Professor, Sapienza Università di Roma
> tonino.paris@uniroma1.it

1_ In 1927, doctor Jean Dalsace bought an old building, interlocked on two sides between other buildings, with the intention of creating his home and his medical office. The bad condition of the building convinces Jean Dalsace and Pierre Chareau to knock it down and rebuild it on the new project by Pierre Chareau. He buys the entire original building, but cannot buy the apartment on the top floor and there is no way to convince the owner, an old lady, to sell it to him because she refuses to leave her residence. So Dalsace decided to demolish the two lower floors and leave the third floor.
It was necessary to adopt a technical skill: the demolition of the two lower floors without compromising the stability of the third, intervening with a structure made of metal pillars. These will make possible a great freedom on the functional organization of the new walking surfaces underlying the third, and the possibility of using glass-cement for external façades that are no longer load-bearing. And it is this requirement that gives the house, once and for all, the name of Maison de Verre.
2 _With the new project, Pierre Chareau inserted three levels into the void left by the two original and demolished floors: the first to accommodate the professional activity of Dr. Dalsace, with a double-height medical office, with the clinical area, and the waiting room around the glazed office, with the common entrance for patients and the Dalsace family, with the main staircase, half-hidden by sliding panels.
The second level housed the public functions of the Dalsace social life: with the main hall, a large double-height space with dimensions such as to accommodate even small family concerts; in the back, more private and silent, there was a small greenhouse and a small lounge, both facing the garden on the inner courtyard.
The third floor was intended for the bedrooms, all facing the inner garden; access to both the bedrooms and the services was formed by a gallery overlooking the double height of the main hall. Finally, in the side volume of the entrance patio, there was the service area with the kitchen and the offices for the employees.
3_It seems clear that the innovative conception of the façade represents a milestone in the history of architecture, a symbol whose character appears as a cloth with a veiled transparency that lets in light that illuminates the entire interior space, sometimes disturbing, sometimes surprising, but always suggestive.

01 *Bust of Pierre Chareau*, Ateliers Chana Orloff, 1921.

4_«In order to elevate our culture to a higher level we are obliged, whether we like it or not, to change our architecture, and this will only be possible if we free the rooms in which we live from its closure character. To do this, introducing a glass architecture that admits the light of the sun, the moon and the stars, not only through a few windows, but through the greatest number of walls, which will be entirely made up of coloured glass bricks» (Scheerbart, 1982).
It is difficult to establish a direct relationship between the text by Paul Scheerbart and the Maison de Verre by Pierre Chareau, although the light that filters the façades of this house makes these prophetic words more real than ever.
5_Before the Maison de Verre, other architectures had tried to improve themselves through the potential of glass; thus, we have the library of the Glasgow School of Art, of Mackintosh, the back facade of the LoosHaus in Vienna by Adolf Loos, or the Bruno Taut Crystal Pavilion. In all these architectures the elevations, also for the way of dividing the glass surfaces into small squares, iconographically anticipate the façade of the Maison de Verre, although without the audacity to completely cover the surface with glass.
Light has always played an essential role in defining the architectural form. The silent presence of light has materialized volumes and spaces which used to be dematerialised.
6_Kenneth Frampton attributes to Pierre Chareau's relationship with the disciples of Hoffman and Adolf Loos the germ of the use of glass on the facade. Above all, Loos' bond with Japanese architecture, in which rice paper panels were used to divide up spaces, seems to have influenced works such as the Loos Bar, the house at the Michaelerplatz or the home of Tristan Tzara. Moreover, the close relationship between Loos and Gabriel Guevrekian with Chareau in Paris in the 1920s had a clear influence on the subsequent articulation of materials and interior design of the Maison de Verre.
7_The immense Mediterranean luminosity accentuated the mass of classical architecture while the dim Nordic light created an atmosphere halfway between the sky and the earth inside the Gothic cathedrals. Light has been used, as in theatre, in Baroque architecture to configure overwhelming scenarios in which ecstasy can be achieved or indoctrinated. Light has generated shadows without which it would be impossible to conceive visionary architectures like those of Boulleé and, of course, it was one of the fundamental tools of the revolution brought about by the modern movement in the perception of architectural space. From Sant'Elia and Mendelsohn to Le Corbusier, Louis Kahn or Tadao Ando, twentieth-century architecture sought with light the way to overcome the classical concept of space.
The light thus elevates Ronchamp, la Tourette, the Capitol Palace of Dhaka to masterpieces.
8_The familiarity of Pierre Chareau with glass-cement walls is immediately evident in the project, especially if we consider that in Paris in those years there was not a similar example, moreover realized with the precision and perfection of execution used by Chareau in the Maison de Verre. We think, for example, that Le Corbusier will not use until a year later, in 1929, a similar enclosure in the Armeé du Salut, or four later, in 1932, in the Maison Clarté.

9_ At the beginning of the 20th century, Jose Ortega y Gasset wrote an article in which he reflected on the perception and nature of the surfaces that unconsciously refer to the qualities of the façade of the Maison de Verre (J. Ortega y Gasset, 2014).

He wrote:

The dimension of depth, whether spatial or temporal, be it visual or auditory, always appears on a surface, so that this surface has two values in rigour: that when we take it as what is materially, the other when we see it in its second virtual life, in the last case, the surface, without ceasing to be, expands in a deep sense.

And it is in the development of this aesthetic of analytic cubism that Colin Rowe[1] begins his study of transparency in painting and subsequently in architecture, distinguishing what defines literal and phenomenal transparency. Literal transparency will be the result of the characteristics of the materials, while the phenomenal will be that inherent in the organization of depth planes.
10_As a backdrop for the stage set up by the entrance courtyard, it offers a partial view of life behind the scenes. We must reconstruct the representation of the public and private life of its tenants from the information that the shadows of the interior reveal to us, with what the exercise of imagination supposes.
11_A glass skin that, continuing with theatrical analogies, acted as a screen, showing only what is interesting and leaving the imagination to compose the complete image of what is behind. The façade of the Maison de Verre, as a partition, has a double value: precisely derived from the quality of its surface and warp structure, and to become a membrane of light and movement that suggests we trace the life that develops within them.
12_The photographs of the construction process allowed us to learn about the different stages of shoring during the execution: in the first phase, the interior was demolished and the floor was preserved with the new metal structure. In a second phase the façades of the first and second floors were demolished, which is why the metal structure was able to support the totality of the weight of the preserved floor. The dichotomy observed between the traditional design of the installation and its modern design is remarkable: the iron pillars and the beams joined by metal brackets bolted or riveted *in situ*, with the modern conception of the fluid space to clearly separate the support structure from the internal distribution, leaving the pillars exempt other than the load-bearing function, and the creation of folding or sliding movable partitions. In fact, most partitions, especially on the bedroom floor, are mobile; the doors, which go from the floor to the ceiling, significantly transform the quality and size of the space if they are open or closed and give great versatility to the interiors thanks to their high degree of mechanization.
13_In the Maison de Verre are the subtle variations that influence light or vision of space. However, on the bedroom floor, there are doors without frames and sliding walls that can completely transform the space.

Even the structures are designed according to this criterion: they are separated from the light, electricity and telephone wiring system. These conduits went from floor to ceiling without leaning against the walls and had the control consoles where the sockets and switches were located. In this way the external cement glass infill has been freed from the function of structural support and support systems and it has been possible not to condition the distribution.
This way of conceiving architecture enriched by the use of mechanical devices such as the forklift, the private lift, the folding staircase that connected the private living room with the main bedroom, etc., gave rise to a machinist aesthetic which suggests to Kenneth Frampton that «the idea that a poetic of technology invades the whole house» is supported. And this is the internal aspect of the house, the finishes of the floors and walls, the solution of the construction details and the nudity of the finishes, the relationship of the structures with the partitions, reinforce the feeling of being in a machine to inhabit and materialize the cladding and construction architectural theories formulated by Semper, and the machinist aspirations of Le Corbusier.
14_The project, which magnificently adds to the artisan sensibility of the Bordeaux designer and the contribution of the early Dutch objectivity to which Bijovet referred, is a masterpiece from every point of view. The mixture between the private paths of the family and those reserved for patients, through the innovative use of diaphragms and mobile panels: doors, walls, wardrobes and even sanitary fixtures – thanks to the decisive collaboration with the blacksmith Dalbet – become self-propelled objects that in addition to conferring to the project transformability and flexibility, enrich it with surprising views and breath-taking views. The choice then to make use of materials such as iron beams, vinyl flooring, tubular steel and above all the glass-bricks of Saint Gobain, have made it a unicum that has not yet lost its extraordinary charge of modernity.
15_However, if it is true – as reported by the chronicles of "L'Architecture d'Aujourd'hui" at the time – that Le Corbusier peeped out from time to time on the construction site of rue St. Guillaume, we can surely assume that the reason was not purely aesthetic. But it is precisely the curiosity for the high rate of plant innovation that it introduces: an ingenious system made up of mobile partitions guarantees the ventilation of the living room; visible tubular pipes convey the electric cables between the various floors and receive the sockets and the control panels; a system for channelling hot air, realized by means of a step equipped with vents that runs along the perimeter to the floors, effectively air-conditioning the environment.
16_On the other hand, it cannot be overlooked how, in those years, the Cité de Refuge and the Pavillon Suisse, which Le Corbusier was completing in the French capital, suffered from serious problems of air conditioning due to linguistic choices of transparency and lightness of the infill walls. Problems that did not constitute simple practical relapses neglected by a genius of the form, but questions to which the Swiss master devoted a lot of energy and in-depth studies and for which a lot

was exposed, expressing himself with the usual icastic and solemn language. At this time of interpenetration on the international level of scientific techniques, I propose: a single building for all nations and all climates, the house with respiration exacte. This proclaimed, while the students of Pavillon Suisse were already dying from the heat in May.

17_In short: when purist functionalism laid the foundations for assuming the predominant role that it then had, the Maison de Verre already had all the credentials to be a valid alternative. It proposed a path of great foresight, both aesthetic and technological, which the history of architecture, nevertheless, has not taken. Probably its greatest limit was also its greatest value. In fact, its artisanal work, contrary to the seriality required by the industrial production of that time, made it, in fact, a specimen that badly lent itself to being emulated and even less for this to dictate a style. But the reasons also reside elsewhere and can hardly ever be completely clarified by historiography. Where the imperfections of memory encounter the inadequacies of the documentation, other factors inevitably add up: randomness, certainly; the psychology of individuals (Chareau did not shine due to communication skills); but above all that opaque fabric of friendships and consents that every man of the world knows how useful it is for an idea to become more just than another.

18_Dalsace's house has been almost ignored by critics for about thirty years; still today some texts include it perhaps a bit hastily among the transparent architecture of the age of mechanics, removing the evidence that the transparent glass house is not completely so. And to underline it is not a point of reference, but turns things upside down and explains a lot about his story. Despite the craftsmanship of the furnishings, despite the very happy symbiosis between aesthetic and technological choices that exposed the formalist rhetoric of Le Corbusier's *machine à habiter*, what probably just could not be forgiven to Chareau and Bijovet, was the realization of the most evocative 1930s architectural space thanks to that mediated light, aqueous, irrational and anti-classical, diffused by lenticular glasses that are not perfectly transparent.

19_Kenneth Frampton raised the question that has always puzzled viewers since then: should the glass house be understood as a house in the conventional sense or industrial design? The translucent glass bricks that make up the entire façade of the first and second floors of the main courtyard façade, and most of the garden façade, create a membrane that allows an extraordinary amount of natural light to penetrate into the interior spaces. At night, large projectors illuminate the façades from the outside, projecting a warm and diffused window inside without compromising privacy.

20_For the vast glass surfaces of the two façades, windows of various shapes were examined. Chareau later said in an interview that he had finally given up using glass plates, finally opting for the glass-cement that allowed him to flood the interior spaces with natural light, maintaining maximum privacy.

But the vast glass surfaces – which contained a few really openable windows – cause another issue for the municipal authorities. The ventilation of the interior was the problem, and the solution adopted was a mechanical system that sucked in air outside, filtered it, heated it in winter and cooled it in summer, and then distributed it in the Maison de Verre by means of of pipes under the floor. Dr. Dalsace himself signed a letter addressed to the Parisian construction offices, confirming the rules that will be applied for air exchange in his future home.
Let us leave for the moment the question concerning the classification of the Maison de Verre as a design product and let us be content to say that the method that Chareau uses to design the interior spaces, once the two external walls were built, was the same used for the design of its furniture, specially built on site.
21_The interior walls, which are not load-bearing, are thin and placed independently of the supporting columns, in a way very similar to the villas designed by Le Corbusier in the same period.
Clearly, therefore, it was only after the solutions for the external walls, in which the heating and ventilation of the interior was adopted that Chareau turned his attention to the Library and the divisions in the main living room, in the kitchen, in the dining room.
He still designs the libraries, some hanging from rails on the ceiling, in the small hall; others that cover an entire wall in the large living room and mark a double depth with a two-shelf system; a special escalator allowed access to the upper levels of the library.
22_Chareau had many points in common with Adolf Loos. He was not only in agreement with Loos that the windows were basically necessary to let in light, more than to look outside (so that only translucent glass was used), but he also agreed with the observation that made Loos in 1924 according to which «it is equally less modern to put clothes in the wardrobe rather than show them as decorative elements [...] Let's imagine: a wardrobe is nothing more than a sort of casket for a precise ornament» the cabinets designed for the second floor are exactly this: metal boxes painted in black that make up a wall between the corridor and the rooms. They can be opened from two sides with hinged metal doors on one side and wooden doors on the side of the rooms to offer an additional storage space. Furthermore, if one opens all the doors of the closet at the same time (this is unlikely from a practical point of view) a complete intersection of the architectural spaces is reached, from the bedroom, from the main bathroom through the living room the facade glass plates on the front of the house.
The house detects spaces inside spaces created by the mobile furnishings or those fixed to the structure. Once again expression of the fundamental themes of Chareau. Mobile screens that isolate washbasins and bidets, in both the children's bedrooms, are a perfect example.
A sort of traditional screens, behind which people dress and undress, which run along the tracks without effort, according to need. These screens transform the

space of the rooms in an almost theatrical way, dividing it without altering the unit since they are transparent.
These mobile screens are also the result of a collaboration between Chareau and Dakbert, engineer and master craftsman. Like the bathroom library set, these screens transcend the level of simple home installation and become part of Chareau's poetics. Our sensory perception is continually disturbed, solicited in these spaces for the incongruity of the things that Rimbaud called the upheaval of our senses (*le derangement des notre senses*).
23_Chareau writes one day «only the new images excite our emotions» but the creative novelties of his installations – sometimes bewildering, sometimes magically evocative – in the Maison de Verre represent however a secondary dimension, which is used only after the rational, logic solution concerning the house had been found. Architecture is a social art, said Chareau, the architect can only create if he listens to and understands the voices of thousands of men, if he suffers like them, if he struggles with them for knowledge. He uses the iron they have forged, guides them into the future, he knows what they have forged.
Although it is interesting to compare the Maison de Verre with contemporary buildings by Chareau in order to verify its rightful place in the M.M., it remains undoubtedly convinced that it is inevitably unique. Undoubtedly Chareau knew Wrigth's work for example, thanks to publications and some colleagues. In particular his assistant. And the Maison de Verre has more than can be imagined in common with Wrigth's textile block houses in California.
The continuous use of modules and a grid to organize the interior spaces, the use of a single material (the glass in the case of Chareau, the concrete blocks in the case of Wrigth), for the interior and exterior façade, and likewise the wish of the architect that his house be a model for future housing estates.
24_ On the other hand, in the Maison de Verre, one cannot fail to recognize the influence of Chareau's work on his contemporaries in the field of design – as can be seen in the work of Renè Herbst, Gabriel Guévrékian, Eileen Gray and others – like that of architecture. Le Corbusier who on several occasions has been seen stealthily looking at the construction site of the Maison, begins to use the same steel and the same glass in numerous projects since 1930 (*(La Cité de Refuge e l'immeuble Clarté)*.
The affirmation of the Maison de Verre as an icon, can be dated in the sixties, an era in which it was rediscovered by young English architects. The house that was the subject of two articles the same year independently of each other: by Kennet Frampton and Richard Rogers, coincided with a renewed interest in steel and glass structures, symbolized by the engineering building of the university of Leichester made by Stirling in 1963.
The architectures of Foster and Rogers, in fact show a fascinating use of glass and iron. The work of Pierre Chareau, both fantastic, elegant and revolutionary must be considered as solidly implanted in the M.M. in Europe for the reasons clearly expressed by the German philosopher Jurgen Habermas in his article entitled

modern and post-modern architecture 1981. The Maison de Verre illustrates the way Habermas sees the M.M. as an unfinished effort. Chareau, who has worked tirelessly for years with his master craftsman Dalber, has created a practical and functional home that is a sensitive response to specific human needs and gestures. At the same time, this house reflects an inner logic and artistic freedom, sometimes bordering on the obsession that gives it a radical autonomy of a work of art rather than a work of building.
It challenges the conventional canons of architecture and design.
It is not a typological reference but a unicum like a unique framed space.
The question remains open: is the Maison de Verre a work of architecture, or a design product?

[1] Written with Robert Slutzky, 1956; published for the first time on *Perspecta*, n. 13-14 (1971).

References

> Scheerbart, P. (1982). *Architettura di vetro.* Milano: Adelphi.

> Ortega y Gasset, J. (2014). *Meditazioni del chisciotte.* Milano: Mimesis.

01 Main façade of the Maison de Verre.

01

Interior of the living room of *Maison de Verre*.

01

02

Transparency as a constructive element

>

The presence of light materializes volumes and dematerialised spaces of the *Maison de Verre*. An innovative concept of the façade through a veiled transparency that lets light filter through, a fundamental element for defining the architectural form.

03

01 Row of vasistass opening windows on the glass block façade.
02 03 Details of the façade of Maison de Verre.
04 The staircase, which seems to float, is directed towards the main facade in glass blocks, the visitor can appreciate the effects produced by light and materials.

04

Flexibility and transformation

>

The *Maison de Verre* detects spaces inside spaces created by the furniture, mobile or fixed to the structures. A transformation of the quality and dimension of the space that gives more versatility to the interior thanks to the high degree of mechanization.

01

02

03

01 Here we can see the double height, the gallery on the upper floor with the wooden panels that qualify it; and the small lounge on the lower floor.
02 03 Significant furnishing complements of the setting of Chareau, where the transformability allows different uses.
04 *MC767 chair* in black painted iron with rattan seat.

04

01

Introspective and changeable

>

The innovative use of diaphragms and mobile panels, doors, walls, cabinets and sanitary ware gives the project a high degree of transformability and changeability as self-propelled objects.

02

03

01 View of the bathroom: the duralumin plotters slide and turn along a furrow, the door opens to show a stack of extractable drawers.
02 03 Interior spaces and medical laboratory of *Maison de Verre.*
04 Spaces connecting the different levels of the *Maison de Verre*, where we appreciate the technological complexity and Chareau's ability to manage its expressive potential.

04